【英】艾琳·亨特◎著
周鹰◎译

星预言

四部曲之④

未来出版社
FUTURE PUBLISHING HOUSE

风靡全球的动物励志传奇故事

图书在版编目（CIP）数据

月光印记 /（英）亨特（Hunter,E.）著；周鹰译. -- 西安：未来出版社, 2012.4
（2016.4重印）
（猫武士. 四部曲）
ISBN 978-7-5417-4543-0

Ⅰ. ①月… Ⅱ. ①亨… ②周… Ⅲ. ①儿童文学—长篇小说—英国—现代 Ⅳ. ①I561.84

中国版本图书馆CIP数据核字（2012）第052261号

猫武士四部曲 · 星预言④月光印记　Sign of the Moon
YUEGUANG YINJI

总 策 划：尹秉礼　冯知明　　**执行策划**：孟讲儒　唐荣跃
丛书统筹：张忠民　赵党玲　　**责任编辑**：马　鑫　何华岐
版权支持：丁　杰　李　萍　　**美术编辑**：许　歌
发行总监：董晓明　　**营销宣传**：薛少华　陈　欣

出版发行：未来出版社　　**社　　址**：西安市丰庆路91号
电　　话：029-84298551　84289329　　**邮　　编**：710082
印　　刷：西安新华印务有限公司　　**经　　销**：全国各地新华书店
开　　本：880 mm × 1230 mm　1/32　　**印　　张**：9.5
字　　数：196千字　　**印　　数**：38001-42000
版　　次：2015年9月第2版　　**印　　次**：2016年4月第5次印刷
书　　号：ISBN 978-7-5417-4543-0　　**定　　价**：22.00元

致中国小读者

中国的猫武士迷们：

你们好！

非常感谢你们阅读我的作品！得知猫武士在全世界都大受欢迎，我感到非常骄傲。这个系列现在已经被翻译成27种语言，我希望能拜访每一个国家，向读者们表达我的谢意，是你们让我的作品风靡全世界。我常居英国，但荣幸的是，我每年都有机会拜访美国，和粉丝们见面，谈一谈我的新书。他们总是提出好多问题！今年我第一次拜访了德国，这次旅程非常特别。我甚至学会了一点儿德语，当然啦，我的口音肯定非常重。

在创作这个系列的过程中，最棒的一件事是：我不必单独工作。我想，你们一定已经知道，并没有一位叫艾琳·亨特的作家了吧。她其实是由我（维多利亚）带领的一个创作团体，另外几位作者分别是凯特·卡里、基立·鲍德卓和图伊·萨瑟兰。凯特和基立和我一样都是英国人，而图伊则是美国人。

我参与了每一本书的创作，搭起故事的框架，创造出其中的人物，然后和另一位作者一起写作整个故事。这种工作方式相当好，因为这样一来，我就不会孤单了！写作可能是一种非常孤独封闭的工作，陪伴你的只有你自己的想象。而通过这种方式，我总能从另一个人那里找到灵感，或是在思维卡住的时候寻求他人的帮助。

收到读者的来信，我总是欣喜万分，特别是大家在信中就武士名向我提供各种建议的时候。我已经想了太多太多的名字，再也想不出新的了！而你们总是有绝妙的点子。读者们在来信中也经常会问到同样的问题，我列出了其中一些最热门的问题，及四位艾琳给出的答案（见《猫武士·月光印记》）。希望你们会喜欢！

再次感谢你们对猫武士系列的热爱。我向你们保证，将来会继续奉献给大家更多精彩的故事！也许有一天，我会拜访美丽的中国，亲自与你们见上一面！

祝你们阖家幸福！

维多利亚/艾琳

特别感谢基立·鲍德卓

绿叶季
两脚兽地盘
两脚兽巢穴
两脚兽小径
空地
两脚兽小径
影族营地
半桥
小雷鬼路
绿叶季
两脚兽地盘
半桥
小河
小岛
河族营地

被遗弃的两脚兽巢穴
月池
旧雷鬼路
雷族营地
空地
风族营地
断半桥
两脚兽地盘
马场
雷鬼路
雷族
河族
影族
风族
星族

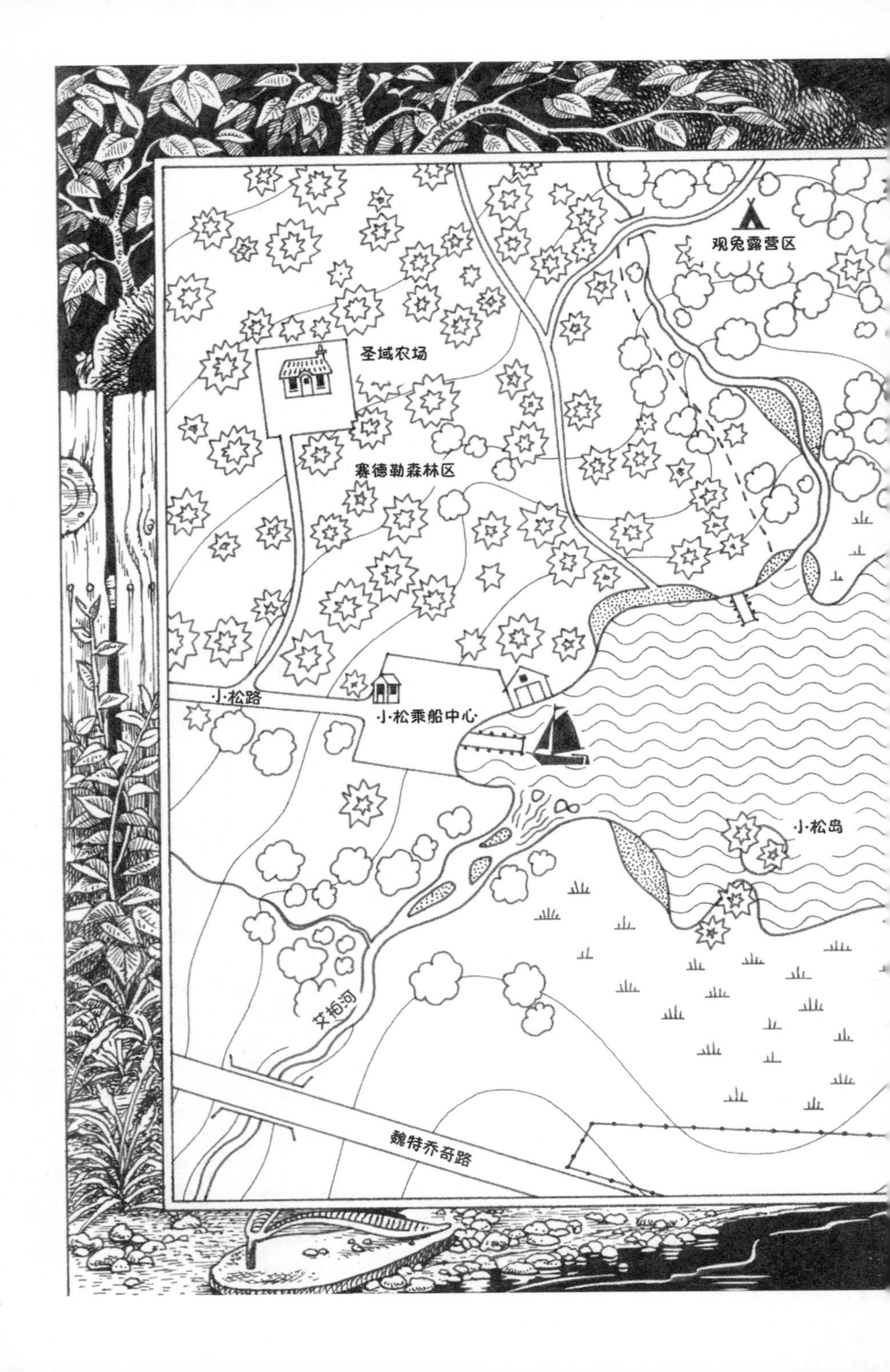
观兔露营区
圣域农场
赛德勒森林区
小松路
小松乘船中心
小松岛
艾梅河
魏特乔奇路

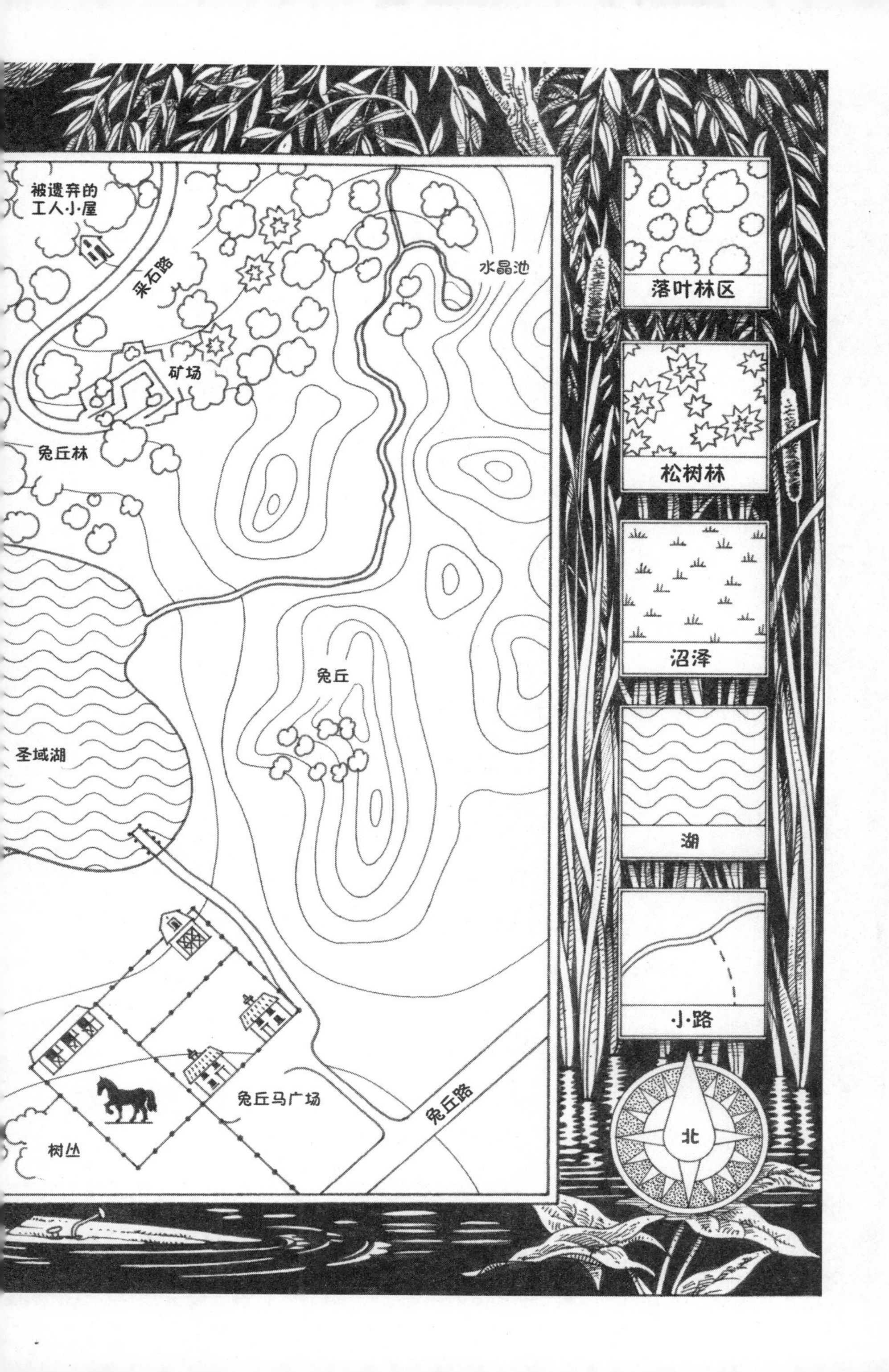
被遗弃的
工人小屋
采石路
水晶池
矿场
兔丘林
兔丘
圣域湖
兔丘马广场
兔丘路
树丛
落叶林区
松树林
沼泽
湖
小路
北

各族成员

雷族(Thunderclan)

族长

火星:外表英俊的姜黄色公猫。

副族长

黑莓掌:琥珀色眼睛、暗棕色虎斑公猫。

巫医

松鸦羽:蓝眼睛、灰色虎斑公猫,眼睛是瞎的。

武士(公猫和母猫均可成为武士)

灰条:纯灰色长毛公猫。

尘毛:黑棕色虎斑公猫。

沙风:绿眼睛、浅姜色母猫。

蕨毛:金棕色虎斑公猫。

栗尾:琥珀色眼睛、玳瑁色加白色母猫。

云尾:蓝色眼睛,白色长毛公猫。

亮心:白色带姜黄色斑点的母猫。

米莉:带有条纹的灰色虎斑母猫。

刺掌:金棕色虎斑公猫。

松鼠飞:绿眼睛、暗姜色母猫。

叶池:琥珀色眼睛、浅褐色虎斑母猫。

蛛足:琥珀色眼睛、四肢修长、肚子是棕色的黑色公猫。

桦落:浅棕色虎斑公猫。

白翅:绿眼睛的白色母猫。

莓鼻:乳白色公猫。

榛尾:娇小的灰白相间的母猫。

鼠须:灰白相间的公猫。

炭心:灰色虎斑母猫。

狮焰:琥珀色眼睛,金色虎斑公猫。

狐步:红色虎斑公猫。

冰云:白色母猫。

蟾步:黑白相间的公猫。

玫瑰瓣:深乳色母猫。

荆棘光:深棕色母猫。

梅花落:玳瑁色加白色的母猫。

黄蜂条:带黑色条纹的浅灰色公猫。

鸽翅:蓝眼睛、浅灰色母猫。

藤池:深蓝色眼睛,银白相间的母猫。

猫后(正在怀孕或照顾幼猫的母猫)

香薇云:绿眼睛、身上有深色斑点的浅灰色母猫。

黛西:乳白色长毛母猫,来自马场。

罂粟霜：玳瑁色母猫，小樱桃（姜黄色母猫）和小鼹鼠（棕色加乳白色公猫）的妈妈。

长老（退休的武士和退位的猫后）

鼠毛：娇小的深棕色母猫。

波弟：灰色口鼻，胖胖的虎斑猫，以前是独行猫。

影族（Shadowclan）

族长

黑星：白色大公猫，脚爪巨大黑亮。

副族长

花楸掌：姜黄色公猫。

巫医

小云：个头非常小的虎斑公猫。

武士

橡毛：小个头棕色公猫。

所指导的学徒是雪貂爪（乳白色加灰色公猫）。

烟足：黑色公猫。

蟾足：深棕色公猫。

苹果毛:棕色斑纹母猫。

乌霜:黑白相间的公猫。

鼠痕:背上有一道很长疤痕的棕色公猫。

所指导的学徒是松树爪(黑色母猫)。

雪鸟:纯白色母猫。

褐皮:绿色眼睛,玳瑁色母猫。

所指导的学徒是八哥爪(姜黄色公猫)。

橄榄鼻:玳瑁色母猫。

枭掌:浅棕色虎斑公猫。

鼩足:黑色脚掌,灰色母猫。

焦毛:深灰色公猫。

红柳:杂有灰色、姜黄色毛发的公猫。

虎心:深褐色虎斑公猫。

曙皮:米黄色母猫。

猫后

杂毛:毛发凌乱、乍开的虎斑母猫。

常春藤尾:黑色、白色加玳瑁色母猫。

长老

杉心:深灰色公猫。

高红:长腿、浅褐色的虎斑母猫。

蛇尾:深褐色公猫,尾巴带有虎斑条纹。

白水:白色长毛母猫,有一只眼睛是瞎的。

风族(Windclan)

族长

一星:棕色虎斑公猫。

副族长

灰脚:灰色母猫。

巫医

隼飞:灰色斑纹公猫。

武士

鸦羽:深灰色公猫。

鹰须:亮棕色虎斑公猫。

所指导的学徒是须爪(亮棕色公猫)。

白尾:小个头白色母猫。

夜云:黑色母猫。

金雀花尾:蓝眼睛、灰白相间的公猫。

鼬毛:白色脚掌的姜黄色公猫。

兔泉:棕色、白色相间的公猫。

叶尾：琥珀色眼睛的深色虎斑公猫。

蚁毛：棕色公猫，有一只耳朵是黑色的。

烬足：灰色公猫，有两只脚爪是黑色的。

石楠尾：蓝眼睛，亮棕色虎斑母猫。

所指导的学徒是荆豆爪（灰白相间的母猫）。

风皮：琥珀色眼睛的黑色公猫。

所指导的学徒是圆石爪（大个头浅灰公猫）。

莎草须：亮棕色虎斑母猫。

燕尾：深灰色母猫。

日光：玳瑁色母猫，额头有大块白色斑点。

长老

网脚：暗灰色虎斑公猫。

裂耳：虎斑公猫。

河族（Riverclan）

族长

雾星：蓝眼睛的暗灰色母猫。

副族长

芦苇须：黑色公猫。

所指导的学徒是空爪（深褐色虎斑公猫）。

巫医

蛾翅:漂亮的金色虎斑母猫。

所指导的学徒是柳光(灰色虎斑母猫)。

武士

灰雾:浅灰色虎斑母猫。

薄荷毛:浅灰色虎斑公猫。

冰翅:蓝眼睛,白色母猫。

鱼尾:深棕色母猫。

所指导的学徒是苔爪(棕色、白色相间的母猫)。

卵石足:灰色斑纹公猫。

所指导的学徒是冲爪(浅棕色虎斑公猫)。

锦葵鼻:浅棕色虎斑公猫。

知更翅:玳瑁色加白色公猫。

甲虫须:棕色、白色相间的虎斑公猫。

花瓣毛:灰白相间的母猫。

草皮:浅棕色公猫。

鳟溪: 浅灰色虎斑母猫。

猫后

暗毛:棕色虎斑母猫。

藓毛:蓝眼睛,玳瑁色母猫。

长老

斑鼻:灰色斑纹母猫。

扑尾:姜黄色和白色相间的公猫。

急水部落(The Tribe of Rushing Water)

部落巫师

尖石巫师:琥珀色眼睛的棕色虎斑公猫。

狩猎猫(负责猎捕食物的公猫和母猫)

灰蒙:浅灰色虎斑公猫。

翅影:灰白相间的母猫。

暴毛:琥珀色眼睛的暗灰色公猫,曾是河族猫。

鹭翔:棕色虎斑母猫。

怒枭:黑色公猫。

鱼跃斑:浅棕色虎斑母猫。

护穴猫(负责守卫洞穴的公猫和母猫)

鹰崖:暗灰色公猫(溪儿的哥哥)。

陡径:暗棕色虎斑公猫。

栗鹰爪:深姜黄色母猫。

苔藓:浅棕色母猫。

滚石:灰色母猫。

猫妈妈(正在怀孕或照顾幼猫的母猫)

溪儿:棕色虎斑母猫(两只幼猫:晨雀,毛色苍白的虎斑母猫;岩松,浅棕色公猫)。

无星之夜:黑色母猫(怀着陡径的幼猫)。

半大猫(部落学徒)

黑影:黑色公猫(狩猎猫)。

白雪:白色母猫(护穴猫)。

疾雨:灰色斑点母猫(护穴猫)。

长老(退位的狩猎猫和护穴猫)

鹰爪:暗棕色虎斑公猫。

驭风鸟:棕灰色虎斑母猫。

暴云:浅灰色母猫。

山地的其他猫

弗洛拉:绿眼睛,深棕色和白色相间的母猫。

远古猫

断影:琥珀色眼睛的橙色母猫,身型修长,白色脚掌。

微风:蓝眼睛的银白色母猫 。

石歌:蓝眼睛的暗灰色虎斑公猫。

追云:琥珀色眼睛、灰白相间的公猫。

卷蕨:琥珀色眼睛的暗姜黄色虎斑公猫。

云日:绿眼睛的浅黄色母猫。

奔马:黄眼睛的暗棕色公猫。

升月:蓝眼睛,灰白相间的母猫。

闪电:琥珀色眼睛,黑白相间的公猫。

怯鹿:琥珀色眼睛的灰棕色母猫。

曙河:琥珀色眼睛的玳瑁色母猫。

鱼跳:琥珀色眼睛的棕色虎斑公猫。

半月:绿眼睛的白色母猫。

枭羽:黄眼睛,有着硬直棕色皮毛的母猫。

松鸦翅:蓝眼睛的灰色虎斑公猫。

鸽翅:蓝眼睛的浅灰色母猫。

落叶:姜黄色和白色相间的公猫。

引　子

水隆隆地响着从山顶流下来，形成一道闪着微光的瀑布，遮住洞口。灰色的阳光透过瀑布射进洞中，在山洞的角落里投下一道阴影，如同柔软的黑色翅膀。水帘边，两只幼崽正在玩一团羽毛。他们把羽毛打来打去，嘴里发出兴奋的尖叫声。毛色苍白的虎斑小母猫和棕色皮毛的公猫，他们的皮毛几乎和深色的石头洞底融为一体了。

山洞后部，一只棕色虎斑老公猫正蹲伏在一条通道的入口处。他眯着琥珀色的眼睛，目光一刻也没从幼崽身上离开过。他一动也不动，只是偶尔抽抽耳朵。

虎斑幼崽高高跃起，伸出爪子去抓羽毛。她抓住羽毛刚一落地，弟弟就一下扑到她身上，用荆棘一般的白色小牙齿咬住了羽毛。

"够了。"一个温柔的声音从旁边传来。一只姿态优雅的棕色虎斑母猫站起来，向幼崽走过去。"当心，别到水边去。岩松，你为什么不像晨雀那样高高跳起来呢？你需要训练，才能成为狩猎猫。"

"我更喜欢当护穴猫。"岩松喵呜道，"我要把每一只入侵我们领地的猫打败。"

"哼，你不行，我才可以。"晨雀反驳道，"我既要当护穴猫，也要

当狩猎猫。你等着瞧吧！”

“我们不是这样分工的。”他们的母亲说话了，她知道老猫正从阴影中看着他们，她匆匆回头瞥了一眼，“每只部落猫都必须——”

她突然打住了话头，因为她听到瀑布后面的狭窄小径上响起了脚步声，有谁正向洞里走来。一只腰背宽阔的灰毛猫出现了。接着，捕猎巡逻队的其他猫跟在他后面走进山洞。幼崽们立刻欢叫着迎上去，扑到领头的那只公猫身上。

“当心！”他们的母亲跟着走过来，用尾巴将幼崽搂到自己身边，“你们的父亲刚从边界巡逻回来，一定很累。”

“我没事，溪儿。”灰毛公猫含情脉脉地向她眨眨眼，飞快地在她耳朵上舔了一下，“今天巡逻很轻松。”

“暴毛，你怎么能这样说！”一只黑色公猫插话说。他正沿着悬崖小道走进洞里，边走边抖着皮毛上的水珠。“我们花费了大把的时间巡逻边界，脚掌都磨破了，究竟是为什么呀？”

“为和平与宁静。”暴毛平静地回答，“我们不能把那些猫赶走，尽管我们认定他们是入侵者。我们最大的希望就是保护好自己的领地。”

“全部山地都应该是我们的领地！”那只黑色公猫没好气地说。

“怒枭，别闹了。”一只深姜黄色母猫气恼地甩了一下尾巴，“暴毛说得对，现在情况不同了。”

“我们安全吗？”溪儿看着幼崽问。现在两只小猫正在争抢一块兔子皮。

“大多数边界都是安全的。”暴毛告诉溪儿，他那双琥珀色眼睛

看上去有点焦虑，“但我们的确在几个地方闻到了其他猫的气味，岩石上还散落着老鹰的羽毛。他们又在盗猎了。”

“我们对此无能为力。”那只姜黄色母猫耸耸肩。

“栗鹰爪，我们不能听之任之。”暴毛低声说，“否则，他们会认为自己想干什么就能干什么，当初设置边界就没意义了。我觉得我们应该增加巡逻的次数，准备战斗。”

“还要增加巡逻次数？”怒枭愤怒地狂甩着尾巴。

“我们应该——”

“不！”

一个粗声粗气的声音从阴影中响起。暴毛惊得一跳，看到了站在一条尾巴远处的虎斑老猫。

“尖石巫师！”他惊呼道，“我刚才没看到你在这里。”

“你显然没看到。”老猫脖子上的毛竖了起来，眼里闪过一丝愤怒的光。“不准再巡逻，”他继续说，“急水部落有足够的东西吃。大地马上就要解冻了，很快会有更多的猎物，我们能从鸟窝里偷到蛋和幼鸟。”

暴毛看上去像是想争辩，但溪儿急忙瞥了他一眼，还轻轻摇摇头。于是，他迟疑地向尖石巫师点点头：“好的。”

老猫怒气冲冲地走开了。暴毛竭力让脖子上的毛平伏下来，转身看着自己的幼崽：“今天你们表现好吗？”

“他们都很乖。”溪儿柔声对他说，“晨雀已经长得很强健了，岩松跳得真高。”

“我们一直在捕猎。”晨雀宣布，说着还用尾巴指着那堆乱糟糟的羽毛，“我抓住了三只老鹰。”

“才不是。”岩松反驳道，“我杀死了一只，不然它早就飞走了。”

溪儿看着暴毛的眼睛：“我好像没法让他们明白，他们长成半大猫以后，需要担负不同的职责。”

“他们没必要现在决定。”暴毛说。但溪儿用尾巴向尖石巫师那边指指，他立即闭上了嘴。尖石巫师还能听到他们说的话。暴毛叹息一声。“他们能学会的。”他低声说，声音里透出一丝沮丧，“还有新鲜猎物吗？我都快要饿死了！”

溪儿领着暴毛向新鲜猎物堆走去时，半大猫和他们的老师们正依次进入洞里。暴毛的幼崽们从洞里冲过去拦住他们。

“给我们讲讲洞外的事！”晨雀尖声喊道，“你们抓到猎物了吗？”

“我也想出去。”岩松补充说。

一只半大猫轻轻用头碰碰他的肩膀：“你还太小。老鹰一口就能把你吃掉。”

“它不能！我会打它！”岩松一本正经地说，身上的毛发也蓬松起来。

那只半大猫从喉咙里发出咕噜噜的笑声：“我倒想看看！但你还是得长到八个月大才行。”

“鼠脑子！”

尖石巫师站在那里，看着半大猫和幼崽们打闹了一会儿，才向自己的通道走去。他走到通道口时，一只灰色和棕色皮毛相间的母猫站起来，走到他身边。

“尖石巫师，我必须和你谈谈。”

虎斑老猫怒视着她：“我要说的都说了。你知道的，驭风鸟。”

驭风鸟没回答，而是站在那里等着，直到老猫长叹一声，说：“唉，那走吧。但别期望得到不同的回答。”

尖石巫师快步走进第二条通道。驭风鸟跟在他后面。小猫们的打闹声消失在他们身后，节奏固定的滴水声清晰起来。

这条通道通向的洞穴比他们刚刚离开的大洞穴小得多。不仅洞底有尖尖的石头向上突起，洞顶也有锋利的石头悬垂下来。有些石头尖在半空中对峙着。两只猫仿佛在石头森林中穿行。水不断从石头和洞壁上滴落下来，在洞底积成一个个小水坑。洞顶上有一道边沿参差不齐的裂缝，从那里照进来一些微弱的灰色光线，在水面上反射着。四周静悄悄的，只有滴水声不绝于耳。远处瀑布的咆哮声，现在听上去也变得像是耳语了。

尖石巫师转身看着驭风鸟：“说吧。”

“我们以前就谈过这事儿。你早就知道，你应该选继任者了。”

老猫厌恶地喷了下鼻息：“我还有的是时间。”

“别给我说这个。”驭风鸟反驳道，“我母亲和你是同窝猫。我知道你多大了。你是被急水部落的上任尖石巫师从那窝猫中挑选出来的。你很好地为部落服务了这么久，但你不能期望永远留在这里。你迟早会被杀无尽部落召唤去的。你必须选择下任尖石巫师。”

“为什么？”老猫厉声反问道。驭风鸟不由得向后缩了一下。尖石巫师继续说道，“为了让急水部落这样延续下去，一代又一代，在这些光秃秃的石头里面刨食活命？”

驭风鸟异常震惊，回答他的话时，声音也颤抖起来：“这是我们的家！我们已经赢得了在这里长久生活下去的权利！你还记得吗，

我们把入侵者赶跑了。"她走到离尖石巫师更近的地方，哀求地伸出一只脚掌，"你怎么可以背叛祖先，不保护他们开创的生活呢？"

尖石巫师把头别开了，眼睛深邃而凌厉。驭风鸟警觉地想到，他可能在隐瞒着什么。

就在这时，一弯新月从一朵云后面钻了出来。月光从洞顶的缝隙中照射下来，落在一个水坑上，将水面映成了银色。尖石巫师凝视着水面。

"今天是新月之夜。"他喃喃说道，"是杀无尽部落通过水里的倒影，在天上和我说话的夜晚。很好，驭风鸟。我向你保证，我今晚会在水里寻找印记。"

"谢谢您。"驭风鸟小声说，并将尾巴尖友好地从尖石巫师肩膀上拂过，然后默默走出小洞穴。"祝你好运。"说罢她便消失在通道里。

她走了之后，尖石巫师走到那个水坑边，向水里看去。然后，他抬起一只脚掌，狠狠踩向水面，将倒影击得粉碎。

"我永远不会再听你们的了！"他咬牙切齿地说出每一个字，"我们相信过杀无尽部落，但在我们最需要你们的帮助时，你们却抛弃了我们。"

随后，他转身离开水坑，在尖石森林中踱起步来，粗糙的洞底刮擦着他的脚爪。"我讨厌部落现在的样子！"他怒吼道，"我讨厌采用族群猫的生活方式。我们为什么不能单独生存呢？"他在洞顶那道裂缝下停住脚步，仰起头，用挑战的目光怒视着月亮。"如果我们注定要失败，你为什么把我们带来这里？"

第一章

鸽爪悄悄溜出荆棘通道，站在森林里等着妹妹常春藤爪，还有她们各自的老师。一场严重的霜冻已经将她脚掌下的每一片草叶变得硬邦邦的，踩上去像锋利的钉子。晨曦中，冰柱在光秃秃的树枝上闪着微光。一阵寒意浸入鸽爪皮毛之中，她打了个寒战。新叶季还要很久才会到来。

鸽爪的胃因焦虑而不停地翻腾着，尾巴也耷拉下来。

今天是你的武士考评日，她对自己说，这是学徒最重要的事。但你为何不感到激动呢？

她知道这个问题的答案。在她的学徒生活期间发生了太多事情，而且都是重大事情。相比之下，成为武士好像已变得不那么重要了。鸽爪深吸一口气，竖起尾巴，因为她听到通道里响起了几只猫的脚步声。她不能让将要考评她的猫看到她很不安。她必须尽最大努力向他们表明，她已经准备好成为一名武士。

鸽爪的老师狮焰第一个出现。他蓬松起身上的金色虎斑皮毛以抵御清晨的严寒。蛛足紧跟在他后面。鸽爪怀疑地看了看那名瘦得皮包骨头的黑毛武士一眼，不知道他和狮焰一起对她进行考评

的感觉会如何。蛛足看上去很严厉。

如果只有狮焰就好了。鸽爪想，真糟糕，火星为什么要决定派两名考官来考我们呢。

接着出现的是炭心，她的学徒常春藤爪紧随其后，最后出来的是米莉。她一定是常春藤爪的另一位考官。鸽爪看着妹妹，胡须颤动起来。常春藤爪看上去个头那么小，还显出很害怕的样子，她那双深蓝色眼睛里满是疲惫。

鸽爪走到常春藤爪身边，友好地舔了舔妹妹的耳朵，低声说："嗨，你会没事的。"

常春藤爪把头转开了。

她甚至不和我说话了，鸽爪懊恼地想。我想接近她时，她总在其他地方忙，还时常在梦里大喊大叫。鸽爪回想起她和妹妹在学徒巢穴里并排睡觉时的情景，妹妹总是扭动身体，击打她的脚掌。她知道常春藤爪在造访黑森林，代表雷族监视那里，因为松鸦羽和狮焰让她那样做。但每次她问妹妹那里发生过什么事情时，常春藤爪都只回答说，没什么新的事情需要报告。

"我建议去那个废弃的两脚兽巢穴。"蛛足宣布说，"那里有遮蔽处，很可能有猎物。"

狮焰眨眨眼，仿佛很惊讶，蛛足竟然想当主考官。但他接着又点点头，领头走进树林，向那条旧两脚兽路的方向走去。鸽爪加快步伐，走到他身边，其他猫也跟上来。

"你准备好了吗？"狮焰问。

鸽爪惊得一跳，从对妹妹的担忧中惊醒过来。"对不起。"她说，

“我在想常春藤爪。她看上去很疲倦。”

狮焰回头看看那只银白色母猫，然后又看看鸽爪，他琥珀色的眼睛里交织着震惊和担忧。“我猜，黑森林的训练仍在继续。”他低声说。

“那是谁的错？”鸽爪没好气地看了他一眼。无论狮焰和松鸦羽多么迫切地需要知道黑森林的猫正在密谋什么，他们也不该把全部重担压在她妹妹的肩膀上。

常春藤爪甚至还不是武士！

狮焰叹息一声。鸽爪听出他在心里是赞同自己的想法的，只是不愿说出来。“我现在不想谈这个。”他说，“你现在该把注意力集中到考试上来。”

鸽爪恨恨地耸耸肩。

那座旧两脚兽巢穴出现在眼前。狮焰停下脚步。鸽爪闻到了从松鸦羽的花园里传来的药草气味，不过大多数茎秆和叶子都被霜打黑了。她还能听到猎物在草丛和树下的乱石中发出的微弱响声。蛛足说得没错：这里是捕猎的好地方。

“好啦。”狮焰开口说道，“我们想先测试你们的追捕技能。炭心，你想让常春藤爪去抓什么？”

“我们抓老鼠。好吗，常春藤爪？”

银白色虎斑猫紧张地点点头。

“但不能在这个旧两脚兽巢穴里抓。”米莉补充说，“那太容易了。”

“我知道。”鸽爪觉得妹妹的声音听上去很疲惫，好像她迈步都很艰难，更别说抓老鼠了。但常春藤爪仍然毫不犹豫地向树林里走

去。炭心和米莉跟上去，和她保持着一定距离。

鸽爪看着她们走远，直到那丛被霜打蔫的凤尾蕨遮住了常春藤爪的身影。然后，她发送出自己的感知力，捕捉妹妹的行踪。她看到妹妹走到废弃的巢穴后面，向松树林走去。老鼠们正吱吱叫着在地上的松针中混战。鸽爪希望妹妹能闻出它们的气味，成功地抓到老鼠。

她全神贯注追踪常春藤爪，完全忘了自己也要参加考试。蛛足用尾巴尖在她耳朵上拍了一下。

"到！"她说着转身看着黑毛武士。

"狮焰刚才说了，他想让你抓松鼠。"蛛足说，"如果你的确想成为武士，就快行动吧。"

"我当然想。"鸽爪低吼道，"对不起，狮焰。"

狮焰正站在蛛足身后，看上去很不高兴。鸽爪恨自己竟然没听到老师下达的命令，但更不高兴蛛足这样小题大做。

真倒霉，竟然有两个考官，她嘟哝道。自树木还没长出叶子时起，学徒就只由自己的老师考评！

她抬起头，嗅嗅空气，闻到附近有松鼠的气味，顿时精神大振。气味是从一片黑莓藤的另一边传来的。她放轻脚步，从刺藤边绕过去，进入一小片空地，看到那只松鼠正在一棵爬满常春藤的橡树下啃松果。

风越刮越猛，把光秃秃的树枝吹得沙沙响。鸽爪用凤尾蕨作掩护，从空地边悄悄走过去，一直走到猎物的下风口处。猎物的气味扑鼻而来，让她直流口水。

鸽爪蹲伏下来,摆出最佳的捕猎姿势,向松鼠爬过去。但她仍然不能自持地再次发送出感知力,追踪常春藤爪。当她听到妹妹脚爪下老鼠发出的微弱叫声戛然而止时,不禁跳了起来。

她这个无意识的动作把一片枯叶踩得沙沙作响,松鼠立即逃到树上去了,毛茸茸的尾巴拖在身后。鸽爪冲过草地,向树上爬去。但松鼠已经消失在树枝之间。她把身子吊在一根常春藤上,想从风声中听出松鼠跑动时树枝的吱嘎声,但没听到。

"该死!"她恨恨地说,让自己重新落到地面上。

蛛足怒气冲冲地向她走过来。"看在星族的分上,你究竟在做什么呀?"他厉声问道,"刚走出育婴室的幼崽都能抓到那只松鼠!幸好没有其他族群的猫看到你,不然他们会以为雷族武士根本不懂怎样训练学徒。"

鸽爪脖子上的毛竖起来,压低声音说:"你就从来没失手过吗?"

"你在说什么?"黑毛武士问,"你说你哪里做错了?"

鸽爪还没来得及回答,狮焰急忙插话:"也没那么差劲。围捕动作不错,你知道先走到松鼠的下风口。"

鸽爪感激地看了他一眼,承认说:"我可能有一瞬间分心了,踩到一片树叶,松鼠听到了。"

"而且你的动作还可以更快点。"蛛足说,"你如果把速度加快一点,就抓住它了。"

鸽爪阴郁地点点头。我们的腿都没你的长,她心想。"这意味着我没通过考试吗?"

蛛足抽抽耳朵,但没回答。"我去看看米莉和常春藤爪进展如

何。”他说道，然后飞快向两脚兽巢穴方向跑去。

鸽爪看着自己的老师，嘟哝道：“对不起。”

“我猜你一定很紧张。”狮焰回答说，“你平时捕猎时的表现要好多了。”

现在考试已经失败，鸽爪才意识到自己多想通过考试。成为武士比拥有我这所谓的特殊力量成为那个预言的一部分更好。突然，另一个想法从她脑子里冒出来。她愣住了。万一常春藤爪都成了武士，我却没有，怎么办？

鸽爪知道妹妹有资格成为武士。尽管妹妹没有她拥有的任何特殊力量，每天晚上却冒着生命危险去帮狮焰和松鸦羽监视黑森林。

常春藤爪比我更好，我甚至连只愚蠢的松鼠都抓不到！

“振作起来。”狮焰说，“你的考评还没结束。但看在星族的分上，集中注意力！”

“我会尽力而为。”鸽爪承诺道，“接下来考什么？”

作为回答，狮焰用耳朵指指他们来的方向。鸽爪转过头去，看到冰云正小心翼翼地从结霜的草地上走过来。

“嗨。”白毛母猫喵道，“黑莓掌让我来帮助你们。”

“你来得正是时候。”狮焰向她点点头。“考评的下一部分是协同捕猎。”他向鸽爪解释说。

鸽爪马上振作起来。她喜欢和别的猫一起捕猎，而且冰云很好合作。但是，当冰云歪着脑袋看着她，问“你想让我做什么？”时，她顿时惊慌起来。

“我……呃……”鸽爪还不习惯向武士下命令。快呀！笨蛋！表

现的时候到了！

“我们抓黑鸟吧。”她建议说，“不过，冰云，你的白色皮毛是个问题。”

“我知道。”白毛母猫可怜地说。

“所以，我们必须找到一个可以先让你隐蔽起来的地方。直到最后一刻，你再出来。我们发现黑鸟后，我可以先把它向你那边赶。”

“那你得确保它不飞走，不然——”

狮焰意味深长地咳嗽一声，打断了冰云的警告。

“噢，对不起。”冰云说，“我忘记了。你继续说，鸽爪。”

鸽爪思索片刻，继续说道：“黑鸟的窝通常都在旧两脚兽巢穴那边。我知道它们现在还没开始做窝，但可能已经开始去那里寻找地方了。”

狮焰鼓励地点点头：“然后呢？”

“嗯……那里是缓坡。冰云可以先躲在坡底下。”

“好吧，让我们看看你怎样做。”狮焰说。

鸽爪刚走出几步，蛛足就从凤尾蕨里面重新走了出来。但他什么也没说。鸽爪心里很好奇，很想知道妹妹进展如何，但现在没时间问。走在冰云前头的感觉很奇怪，仿佛她在率领捕猎队似的。更奇怪的是，她还是作决定的猫。惊慌袭上鸽爪心头，仿佛蚂蚁从皮毛里爬过。她觉得脑袋空得像山洞，仿佛学过的一切都像鸟儿一样从树枝上飞走了。

我偷听其他族群的时间太多，接受武士训练的时间太少了！

鸽爪想在不使用特殊力量的前提下完成考试。只有这样才公

平，因为常春藤爪没有特殊力量。但她很难把意识从妹妹身上移开，因为她一直想知道妹妹正在做什么。而且，只要她试图把注意力集中到身边的声音上时，就会有一种被树林困住的窒息感。

其他猫是怎样合作的呢？她心里纳闷。我几乎连气都喘不过来了！鸽爪顺着旧雷鬼路往上走，然后在黑鸟通常做窝的地方拐进树林。冰云紧跟在她后面。狮焰和蛛足在后面更远的地方，一直观察着她。鸽爪钻进一丛榛树中，竖起尾巴，警示冰云靠后，以免她的白色皮毛惊跑任何猎物。她看到一只黑鸟正在榛树下的地上啄食什么东西，心里非常满意，脚掌也痒痒起来。

鸽爪从灌木中退出来，用尾巴示意，又悄悄对冰云说："你去那边，往山下走。我把鸟吓出来，将它往你的方向赶。"

冰云点点头，蹲伏着身子慢慢走开，像一小团白雾一样，寂静无声。鸽爪目送她走出视线。冰云消失之后，她又不由自主地将意识发送出去，追踪白色母猫。突然，她意识到冰云的脚掌踩在地上的声音有点异样。

有什么地方不对劲。

于是，鸽爪没有去追捕黑鸟，而是从浓密的榛树丛里钻过去，向族猫追去。蛛足责备地哼了一声，但鸽爪几乎没注意到。冰云的脚掌正在她脑子里发出雷鸣般的声响，掩盖了所有其他声音。

我不应该听到这样的声音，它们仿佛在地下久久回响。突然，鸽爪明白了。噢，不！这地下一定是空的！

"这究竟是怎——"蛛足怒吼道。

鸽爪飞快跑开时，听到狮焰尴尬地嘀咕一声。她从一丛缠结的

黑莓藤里直冲过去，看到冰云正在坡底，然后开始慢慢消失，因为她脚掌下的地面已经裂开了。

“冰云！”鸽爪高喊道，“我来了！”

她纵身一跃，抢在白毛母猫消失在一团松软的泥土中之前，用牙齿咬住冰云的后颈部。冰云疯狂地用前掌扒拉着，试图将自己从泥土中拖出来。但整面斜坡仿佛都在坍塌，没有任何东西可以支撑住它。

鸽爪竭尽全力将族猫向外拉，但她脚下的地面也在滑动。冰云的身体已经被卷入了那个洞里，她太重，鸽爪渐渐坚持不住了。冰云的后颈部从她牙齿间滑出。鸽爪惊恐地看到，白毛武士落下去了，坠入黑暗之中。然后，冰云恐惧的哀号声戛然而止，泥土轰然而下，眼看就要将她掩埋起来。

第二章

狮焰疾步绕过黑莓藤，心里巴不得自己和鸽爪的个头儿一样小，可以直接从黑莓藤中间钻过去。他跑到另一边之后，停下脚步，站在那里大口喘着气。鸽爪就在半山坡上，正蹲在那个洞边。突然，她吓得向后一缩。狮焰听到一声尖叫，看到一只白色脚爪一闪，冰云消失在泥土中。

是地道！狮焰心里一惊，立即想到了自己的妹妹冬青叶。他在脑海中又看到妹妹了：她正从地道口向里面冲去，全然不顾他和松鸦羽警告过她的事情；然后，他能看到的就只是无尽的泥土和石块，妹妹被永远埋在了地下。

“出什么事了？”蛛足的声音让狮焰一惊，把他拉回到现实中来。

黑毛武士一个箭步从他身边冲过，向鸽爪跑去。鸽爪此刻正向那个洞里张望。狮焰环顾四周，发现一丛熟悉的荆豆丛，还看到一小股泉水，在两块平坦的石头之间形成一个小水洼。他意识到，他们此刻所在的斜坡，就离冬青叶消失的地方上面不远。冰云掉进同一条地道里去了！

狮焰的肚子痉挛起来。伟大的星族啊，她们会在下面发现什

么呢?

他冲下斜坡,跑到那个洞边,用肩膀将蛛足挤开。鸽爪惊得向后一跳,显然被他脸上的恐怖神情吓坏了。地道里光线很暗,狮焰探头向下看去时,勉强能看到洞壁。就在下面几尾远的地方,冰云正从一堆泥土和石块中往外爬,边爬边抖着皮毛上的泥土。

当她抬头看到狮焰时,喊道:“把我弄出去!”

“你受伤了吗?”他问。

“不严重。只伤到肩膀。”冰云吐出嘴里的泥土,“请把我弄出去。”

狮焰壮着胆子从洞边尽可能向前探出身体,左右打量地道。小山这头,地道消失在黑暗之中;另一端是一堵泥土和石块组成的墙,封住了出口。

冬青叶就在那下边吗?想到这里,狮焰不禁打了个寒战。“蛛足,回去叫救援。”他命令道。

黑毛武士跑走之后,狮焰再次低头看着冰云。她正蹲伏在泥土中,皮毛蓬松开来,眼睛惊恐地大睁着。他向她保证说:“我们很快就把你救出来。”

“谢谢你,狮焰。”年轻母猫的声音在颤抖,“这下面好黑哦。”

“我来把洞弄大一点。”鸽爪说,“让更多的光线照进去。”

但是,当她开始刨洞边的泥土时,更多的泥土开始往冰云身上落去。

“不要!停!”她哀号道。

“对不起。”鸽爪停止刨土,在洞边坐下来。

狮焰探过身,在她耳边悄声说:“除了我之外,其他猫都不准进

那个洞。听清楚了吗？”

灰毛学徒惊讶地瞪大眼睛，但仍然点了点头。狮焰欣慰地舒了口气。他知道，如果洞里有什么可能被发现的秘密，他必须是第一只发现它们的猫。他等着，心里不停地翻腾。许多个月来，他第一次怀疑族猫们是否真的相信是只路过的泼皮猫杀死了蜡毛，冬青叶的消失与此毫无关系。

我不想让族猫们重新开始思考这些事情。我必须保护冬青叶的名声。

最后，他终于听到灌木下响起了猫的脚步声。蛛足回来了，正向这边跑来。云尾、桦落和狐步紧跟在他后面。狐步冲到洞边，探身去看妹妹。

“我们来了！我们很快就能把你救出来。”他鼓励冰云说。

冰云抬起头，向他眨眨眼：“快点！”

“我们需要用什么东西把她拉出来。”桦落大声说，“也许是根又长又粗的藤蔓。不能是黑莓藤，应该是常春藤或者旋花藤之类的。”

“那棵树上有常春藤。”云尾用尾巴指着一棵老橡树说。那树干上盖满光滑的深绿色叶子。狐步爬上树，咬着一根很长的常春藤。藤蔓刚被咬断，云尾就把它从树上扯下来，拖着它大步走回洞口边。

“把一头拴到那棵小树上。”桦落用耳朵指着一根长在洞边的小白蜡树说，“然后，我们把另一头扔下去，让冰云接住。”

常春藤被绑牢之后，狐步将另一头扔给妹妹。冰云用牙齿紧紧咬住常春藤。但其他猫刚一开始往上拉，她便松口了，掉回土堆上。

“我太重了！”她粗声粗气地说，“我咬不住。”

“那就把它缠在你身上。”狮焰建议说。

冰云试了一下。但她的肩膀明显受伤了，她没法将常春藤缠到自己身上。“没用！”她的声音里带着哭腔，“我会被永远困在这下面的！”

“胡说。”狮焰说，“我们会想到办法的。”

蛛足向洞里看看，建议说：“我们再往洞里扔些土和石块可以吗？我们可以让那堆土石变得更大些，她就能自己爬出来了。”

“也许可以。”桦落嘀咕道，“但我担心那样会把她埋……”

“不，请不要！”冰云惊恐的声音从洞底传上来。

更多的脚步声响起，分散了狮焰的注意力。他转过头去，看到松鸦羽和梅花落正从黑莓藤边走来，便过去迎上他们。

他走过去时，松鸦羽说：“我听到蛛足回营地报告的事情了。”他没继续往下说。但狮焰可以看出，松鸦羽也知道，这就是冬青叶消失的那条地道。

等到梅花落走到洞边的其他猫身边之后，狮焰才悄悄对松鸦羽说：“除了冰云之外，我没看到下面有什么其他东西。那些坍塌下来的泥土在坡下面更远的地方。”

“你不能让任何其他猫下去！”松鸦羽嘶声说道。

“我知道！”狮焰没好气地说。他肚子里又翻腾起来，领着松鸦羽向其他猫走去。

“我要下去。”狐步说，“你们可以把我吊进洞里。我把常春藤绑在冰云身上，然后你们把她拉上来。”

“不行。”狮焰说着走上前去，“太危险了。我下去。”

"什么？"桦落猛地甩了一下尾巴，"别犯傻了！你太重了。"

"为什么有危险？"狐步走到狮焰面前，争辩道，"除了冰云之外，下面又没有其他东西。"

"你们不明白！"狮焰大声喊道。

云尾一直探身从洞口往下看，正好奇地向地道两头张望。最后，他退回来："这些是不是风族用来入侵我们的地道？"

狮焰点点头，一种熟悉的内疚感袭上心头。因为他想起，是他和石楠尾最先发现这个地道的。

狐步惊得倒吸一口凉气："伟大的星族啊！现在下面可能就有风族武士，等着袭击冰云！"

云尾翻了个白眼："哈，当然啦！风族一定随时都在下面，等着雷族武士掉下去。"

尽管白毛武士的话说得有些像开玩笑，狮焰却感觉到洞口周围的猫更着急了。冰云哀求的声音从洞里传上来："把我弄出去，求求你们！"

"我下去。"鸽爪自告奋勇地说，还探询地看了狮焰一眼，仿佛她记得狮焰说过不允许任何其他猫下去。那也包括我吗？她好像在问。

松鸦羽点点头。"她下去最好。"他悄悄对狮焰说。

"但她还是学徒！"狐步抗议道。狮焰感觉到，再过一会儿，他就会亲自跳进洞里了，无论是否得到资深武士的许可。

"我是最轻的。"鸽爪指出，"我只需要跳下去，把常春藤拴到冰云身上就行了。"她仿佛已经作出决定一般，转身看着狮焰，小声

问："我需要当心什么吗？"

是的，当心我妹妹。狮焰紧张地吞咽着。但相反，他却回答说："把眼睛睁大就行了。地道不是猫平常能涉足的地方。所以我们必须把它们看成敌人的领地。"

桦落把常春藤拴在鸽爪身上。然后，他和云尾把她放进洞里。当她从洞口边消失时，她的眼睛突然睁大了。狮焰低头看去，看到她正把常春藤从自己身上解下来，牢牢地拴在冰云身上。

"好啦！"她喊道。

桦落和云尾开始把那根藤往上拉。冰云痛苦地叫了一声，但急忙打住。"对不起。"她咬着牙说，"我的肩膀真的很痛。"

白毛武士被慢慢拉上来。她刚出现在洞口，狐步就冲上去，用肩膀支撑着她。"走吧。"他说，"我们送你回营地，请松鸦羽给你检查一下。"

"我会好的。"冰云小声说。不过，她痛得直喘气，连一步也走不动了。她沉重地倚靠在狐步身上。大家开始向营地走去。

云尾从另一边支撑着冰云。当他回过头去，看到松鸦羽没动时，惊讶地瞪大了他那双蓝眼睛。雷族巫医还探身在洞口上，好像正侧耳听着什么。

"走吧。"云尾催促道，"其他猫能把鸽爪弄上来的。"

松鸦羽迟疑片刻，然后跟上去。

同时，桦落和蛛足已经把藤蔓扔给鸽爪，正准备把她往上拉。没过多久，她就爬到了洞口的边缘。狮焰俯身咬着她的后颈背，用力把她拉了上来。

“谢谢！”鸽爪喘着粗气，抖落着皮毛上的泥土，“下面很恐怖。”

狮焰很想问她在地道里看到了什么，但他知道他什么也不能说，更不能当着其他猫的面说。再说，如果鸽爪在下面看到了死猫，恐怕石头山谷里的猫早就听到她的尖叫声了。

“这个洞怎么办？”桦落问，“我可不想其他猫再掉下去。”

“太大了，没法填。”蛛足说，“如果只是把洞口盖上，猫踩到上面可能还是会掉下去。”

“也许我们应该在洞口周围放上些东西？”梅花落建议说。

“好主意！”狮焰赞许地向年轻武士点点头，“我们暂时用树枝把它围起来，以后再想办法修个长久些的围栏。”

他们搜集树枝建围栏时，狮焰的脚掌直痒痒，很想爬进洞去四处看看。但其他猫会问太多问题。所以，围栏修好之后，他不得不和族猫一起离开。不过，他跟在族猫身后往山坡上爬时，还恋恋不舍地回头看了一眼。

鸽爪走在他身边。他能感觉到她对地道的好奇，但他还没决定告诉她多少实情。不过，让他欣慰的是，他们向旧雷鬼路走去时，她的目光落在蛛足身上，注意力立即转移了。

“噢，不！”她哀号道，“我把考试的事忘得一干二净了。我没通过，是不是？”

“我也不知道。”狮焰承认说，“你捕猎时没有发挥出最佳水平。但你的确帮了大忙，救起了冰云。你那样下到洞里，表现得很勇敢。”

鸽爪看上去很灰心，她又瞥了蛛足一眼，但黑毛武士已经走到前头很远的地方去了。狮焰很想安慰她几句，但他现在什么也不能

说，他必须先和蛛足交换意见。他们走进石头山谷时，常春藤爪从营地那边跑过来，滑动脚步停在鸽爪面前。

“出什么事了？”她问道，“你们去哪里了？冰云怎么啦？我看到她一瘸一拐地走进松鸦羽的巢穴去了。”

“她掉进洞里去了。”鸽爪回答说，然后讲起他们设法救出冰云的经过。

榛尾跑过来听，炭心和米莉也跟着跑过来。亮心和黄蜂条从武士巢穴挤出来，小鼹鼠和小樱桃从育婴室里跑了出来，罂粟霜在他们身后追着。鼠须、莓鼻和白翅也紧跟在他们后面过来了。

“我听说冰云掉进了地下河！”黄蜂条打断鸽爪的话说，“你也跟着掉进去了。”

“不是。”白翅反驳道，“桦落说是掉进洞里了。”

“鸽爪没掉进去。”狮焰决心保护自己的学徒，“她是爬下去帮助冰云的。”

“哇，太勇敢了！”黄蜂条钦佩地看了鸽爪一眼。

莓鼻惊恐地睁大眼睛，喘着粗气说：“也许冰云的背断了，和荆棘光一样！”

亮心用尾巴抽了一下他的耳朵：“鼠脑子！她是走进松鸦羽的巢穴的。”

鸽爪抽抽胡须：“你们究竟想不想知道发生什么事了？”

鸽爪讲完之后，黄蜂条说：“真遗憾，你没能完成考试。”

鸽爪的尾巴耷拉下来，眼神也变得焦急起来：“我知道。也许火星不会给我武士名号了。”然后，她抖抖皮毛，转身看着常春藤爪，

谢谢！
下面很恐怖。

她对地道很好奇。
不过，我还没决定告诉她多少实情。
噢，不！我把考试的事忘得一干二净了。我没通过，是不是？
我也不知道……你那样下到洞里，表现得很勇敢。

急切地问："你做得怎样？谁和你一起捕猎的？"

"榛尾。"常春藤爪回答说，她的眼睛在放光，"真的棒极了！我们抓到两只老鼠。"

"太好了！"

狮焰可以看出鸽爪是在假装为妹妹感到高兴，其实她心里非常失望，仿佛积雪压在树枝上一样。他正想鼓励她一句，常春藤爪已经走到姐姐身边，用口鼻顶着姐姐的肩膀。

"别担心。"她低声说。她的声音很轻，只有鸽爪和狮焰能听到。"火星知道你对雷族有多重要。你不用靠抓松鼠来证明这点。"

鸽爪将妹妹推开，反驳道："我想被当成普通猫来评价，哪怕一次！"

常春藤爪疑惑不解地看着她，说："但你本来就和我们其他猫不一样。"

"小声点！"狮焰警告她们。他刚刚注意到，火星已经从松鸦羽巢穴里走了出来。他一定是去看冰云了。

雷族族长大步走过空地，从山毛榉树枝上跳过，跑上岩壁，站到高岩上。他火红色的皮毛闪着光，给寒冷的秃叶季带来一丝温暖。

"所有年龄够大，可以自行捕猎的猫，都来高岩下集合，参加族会。"他大声宣布说。

本来就在空地上的猫都面向高岩坐下来。小鼹鼠和小樱桃在猫群前面蹦蹦跳跳，直到罂粟霜用尾巴把他们拢到身边，让他们安静地坐下。黛西和香薇云出现在育婴室入口处，紧挨着坐下来。鼠毛先把头从长老巢穴外面的山毛榉树枝中伸出来看看，然后从出

口走出来。波弟跟在她后面。狐步从巫医巢穴走出来。松鸦羽把黑莓藤屏风拨开，让荆棘光可以从入口处向外看。沙风、尘毛、云尾和栗尾都从武士巢穴中走出来，在高岩下找地方坐下。栗尾抬起一只后掌，挠着耳朵，仿佛在驱赶虱子。

火星竖起尾巴，示意大家安静。"雷族众猫，"他开口说道，"我想，你们都听说了冰云的意外。她掉进一个洞里，把肩膀摔脱臼了。但松鸦羽已经帮她复位。"火星的语气平稳，听上去让大家很安心。狮焰看出，荆棘光出事之后，他非常清楚族猫们心里的恐惧。"松鸦羽说，她需要休息。"火星继续说，"但再过十来天，她就能四处走动了。"

聚集在高岩下的猫儿们都松了一口气，纷纷议论起来。几只猫还欢呼道："松鸦羽！松鸦羽！"

"回头我要亲自去看看那个洞。"族长继续说。他用那双绿眼睛看了狮焰一眼，显然表明让狮焰带他去那里。狮焰点头回应。"同时，尘毛和蕨毛，你们最擅长修建。我想让你们今天日落前，在那个洞周围修一道坚固的屏障。我们不能把洞填平，但我们也不想让任何其他猫再掉进去。"

"没问题，火星。"尘毛高声回答，"蕨毛巡逻回来后，我们马上开始。"

"你们俩都不准到那洞口附近去。"罂粟霜警告自己的幼崽们，尾巴在他们耳朵上轻轻抽打了一下，强调自己的话。

"好像我们能去似的！"小鼹鼠抱怨说，"我们根本不能出石头山谷。"

“这简直不公平。”他妹妹附和道。

“我召集族会还有一个原因。”火星继续说，“两名学徒今天完成了武士考试。”

猫群一阵兴奋。常春藤爪的眼睛亮闪闪的。但鸽爪只是低头看着脚掌。狮焰心里有些担心。他看向蛛足，但黑毛武士的脸上毫无表情，什么也看不出来。

但愿蛛足对她不要太严厉，他想，很后悔没在族会前先和黑毛武士商量一下。

“炭心？”火星摆摆尾巴，邀请常春藤爪的老师讲话。

灰毛武士站起来，开口说道：“常春藤爪很努力。她的战斗训练尤其突出。但捕猎技巧还有待提高。今天独自捕猎时，她抓到了一只野鼠，但抓得很吃力：她让野鼠跑到她的下风口，那家伙差点就跑掉了。”灰毛武士转过身，礼貌地向米莉点点头。“你觉得如何？”她问。

米莉站起来，上前一步，站到炭心身边。“我同意你的意见。”她说，“常春藤爪和榛尾一起捕猎时，显得很尴尬，不知道该让榛尾怎么做。如果她要率领捕猎队，必须学会怎样部署安排。”她善意地看了常春藤爪一眼。常春藤爪正睁大眼睛听着，眼里有些担心。“但榛尾和常春藤爪配合得很好，她们抓到了两只老鼠，而且动作干净利落。老鼠无处可逃！”她的声音柔和下来，“依我看，常春藤爪有资格成为雷族武士。我们非常幸运能有这样的武士！”

猫群里爆发出一阵欢呼。鸽爪在妹妹耳朵上舔了一下。“祝贺你！”她笑着说，“米莉说得对，你有资格。”

常春藤爪眼睛里闪动着欣慰的光。“炭心说起野鼠的事情时，我害怕极了。”她承认道，“的确很糟糕。”

“狮焰？”火星的话让族群再次安静下来，“鸽爪怎么样？”

狮焰站起来时，心里很纠结。他想尽最大努力帮助自己的学徒，但他也不能掩盖她没捕到任何猎物的事实。“鸽爪是任何老师都希望得到的最佳学徒。”他开口说，“她训练很努力，学得很快。今天，她本来准备抓松鼠的，而且很快找到了一只。她以优秀的围捕动作很快到位。松鼠全然不知她已经靠近。”他向鸽爪那边望了一眼，鸽爪仍然没敢看他。他继续说道：“但接着，正当她准备扑上去时，意外地踩上一片枯叶。松鼠发现了她，逃到树上去了。”

“如果她的动作再快一点，就抓到松鼠了。”蛛足站起来说，“但松鼠一旦跑到树枝间，你就不可能重新找到它了。”

狮焰怒视着黑毛武士。没必要说得那么难听吧！

“协同捕猎怎么样？”火星催问道。

“她很好地部署了自己和冰云需要做的事。”狮焰说，“她让冰云先藏到灌木下，把她的白色皮毛隐蔽起来。然后，她开始把一只黑鸟往冰云那边赶。但后来……”狮焰迟疑了。他很清楚，接下来要说的话不会好听。他不能提到鸽爪有特殊力量，无法解释她为何突然向冰云跑去。“后来，她一定是听到了什么。”他继续说，“她停止追赶黑鸟，径直从黑莓藤中穿过，跑去帮助掉进洞里的冰云。黑鸟逃走了。”

“这么说来，鸽爪今天什么也没抓到？”火星追问道。

“是的。”狮焰摇摇头，感觉浑身燥热。他难过地想，尽管她是雷

族最棒的狩猎猫之一，能否成为武士却取决于她今天的表现。

“一根羽毛、一根胡须都没抓到。”蛛足进一步确认道，“如果你问我的意见，我觉得她太容易分散注意力。她如果把注意力全部集中在要做的事情上，完全可以抓住那只松鼠和那只黑鸟的。”

狮焰也从族长眼里看到了失望。“这么说来——”火星说。

“等等，火星。我还没说完。”蛛足打断他的话，“的确，鸽爪今天捕猎表现不佳。但是，她尽管不知道在黑莓藤那边将面临什么样的危险，却仍然跑去帮助困境中的族猫。当我们无法将冰云从洞里弄出来时，鸽爪自告奋勇，要求被放到洞里去帮助她，尽管没有任何一只猫知道下面可能有什么。”他赞许地看了鸽爪一眼。“这些都是雷族最需要的品质——”他继续说道，“勇敢、忠诚，为了族猫的利益愿意面对危险。依我看，如果我们不让她成为武士，就是最愚蠢的表现。”

鸽爪难以置信地看着蛛足，其他族猫都已欢呼起来。当她意识到，自己今天就能成为武士时，她的眼睛亮起来。常春藤爪在她周围跳来跳去，兴奋得像只幼崽。

火星摆摆尾巴，示意大家安静。然后，他大声说道：“谢谢你，蛛足。雷族将因为我即将命名的两位武士变得更加强大。”说罢，他跳下岩壁，站在族猫们面前，一甩尾巴，示意常春藤爪上前。族猫们安静下来，等待族长开始命名仪式。

火星抬起头，环顾着自己的族猫们。他洪亮的声音在空地里回荡：“我，火星，恳请祖先们俯瞰这名学徒。她已经接受了严格的训练，理解了祖先们崇高的武士守则，现将她作为武士引荐给各位祖

先。”他低头看着常春藤爪，继续说道：“常春藤爪，你必须拥护武士守则，保护和捍卫雷族，即使以生命为代价。你能发誓吗？”

“我发誓。”常春藤爪的声音在颤抖。

当狮焰意识到，常春藤爪早已开始实现自己刚刚立下的誓言时，感觉一阵寒意从皮毛上掠过。她每天晚上都要在梦中去黑森林，监视那里的猫。几乎没有几只猫冒过这样的危险。

火星继续说：“现在，我以星族的名义赐予你武士名号。常春藤爪，从此刻起，你叫藤池。星族珍视你的勇敢和忠诚。欢迎你成为雷族的正式武士。”火星上前一步，将口鼻放在藤池头顶上。藤池舔舔他的肩膀。

“藤池！藤池！”族猫们高喊着新武士的名字。欢呼声渐渐低下去之后，藤池退到尘毛和炭心中间。灰毛武士将尾巴从学徒的两只前肩上拂过。尘毛赞许地向她点点头。

火星竖起尾巴，示意鸽爪上前。狮焰看着自己的学徒走上前去，在火红色公猫面前停下脚步。当族长呼唤星族俯瞰她时，她的眼睛一眨不眨地看着火星的眼睛。“鸽爪，”火星问她，“你必须拥护武士守则，保护和捍卫雷族，即使以生命为代价。你能发誓吗？”

“我发誓。”鸽爪回答。

狮焰意识到，这个誓言对自己学徒的分量很重。鸽爪有很多可以为族群做的，但成为武士意味着更多的重任将落在这只年轻母猫肩上。狮焰不知道火星会将鸽爪的哪些素质指出来。他不可能提到她的特殊力量，不可能当着全族群的面说出来。

火星继续说：“现在，我以星族的名义赐予你武士名号。鸽爪，

从此刻起，你叫鸽翅。星族珍视你的智慧和冒险精神。欢迎你成为雷族的正式武士。"

雷族族长再次低下头，将口鼻放在新武士头顶上。鸽翅舔舔他的肩膀。

"鸽翅！鸽翅！"族猫们热烈欢迎新武士。

鸽翅退后一步，然后转过身，大步走过去，站在狮焰旁边。

"干得好！"他低声说，"哪怕只有一只猫有资格赢得武士名号，也只能是你。"

鸽翅喉咙里发出咕噜咕噜的笑声，无法答话，但她的眼睛里闪动着兴奋的光。

欢呼声低下来之后，火星竖起尾巴。"我想提醒各位族猫，现在我们没有学徒了。"他说，"年轻武士将不得不暂时履行学徒的职责。"

"我就知道会这样！"黄蜂条叹息道，"唉，又要回去帮长老捉虱子了！"

"我们来当学徒！"小鼹鼠喊道，"我们会很努力的。"

"我相信你们会。"罂粟霜笑着说，"但必须等你长到六个月大才行。"

"为什么？"小樱桃问。

"因为武士守则就是这样规定的。"火星打趣地回答说，"到时候你们会成为优秀学徒的。从现在起，如果某些职责履行得比平时稍晚一点，每只猫都必须耐心等待。但巡逻队和捕猎队必须按时出发。"

"如果这样，我们自己捉虱子吧。"波弟说着抖抖乱糟糟的虎斑

皮毛,“我们尽管是长老,但也不是帮不上半点忙。”

“谢谢。”火星向大家点头致意,“族会到此结束。”

猫儿们散开时,狮焰走到炭心身边。“祝贺你。”他说,“简直太好了,我们的学徒都成武士了。”

炭心点点头:“也祝贺你,狮焰。我就知道鸽翅能成功。”

她的语气很友好,但也很疏远,仿佛她是外族猫。当她甜美的气息扑鼻而来时,狮焰的心在痛。

炭心,你知道我想要什么。你为什么就不想呢?

但他很清楚炭心为什么离开他,他向她讲了预言的事。现在,炭心认为自己不够特别,没有资格成为他的伴侣了。

在我眼里,你是雷族最特别的猫。狮焰懊恼地想,但他永远不可能向自己所爱的猫大声说出这句话。炭心会被吓坏的,她会认为自己分散了狮焰的注意力,让他不能全心全意履行三力量的职责。如果我只是一只普通的族群猫就好了,那样我就能和你在一起了。

第三章

“你有感觉吗？”松鸦羽用一只爪子戳戳荆棘光的腰臀部。

“没有。”荆棘光回答说，同时不耐烦地扭扭肩膀和前腿，“我一点好转都没有，是吗？”

亮心正在巫医巢穴帮松鸦羽的忙。她温柔地舔舔伤猫的耳朵说：“当然有。你一天比一天更有力了。”

“是吗？”荆棘光的声音欢快起来，“冰云，如果你愿意，我可以教你一些我的锻炼动作。”

“暂时不行。”松鸦羽告诉她。他感觉到了小母猫的失望，又补充说，“稍微等等，如果冰云的腿和肩膀僵硬了，才需要锻炼。但现在她只需要休息。”

冰云正蜷缩在巢穴对面的一个窝里。松鸦羽走过去，在她身旁蹲下，用一只脚掌抚摸她的肩膀。“亮心，你来摸摸。肿起来的地方没有发热的迹象，情况不错。”他满意地点点头，“冰云，你如果想缓解疼痛，可以吃一粒罂粟籽。”

“不，我没事。”冰云顽强地说，“我只是想回去履行职责。我应该去捕猎的，相反却让族群又多了一张吃白食的嘴。”

“别这样说。”亮心慈爱地责骂她，“你为荆棘光或是患白咳症的猫捕猎时，介意过吗？”

“当然没有，但——”

“亮心说得对。”松鸦羽一甩尾巴，打断她的话，“如果我们不帮助生病或者受伤的猫，那我们和独行猫或者泼皮猫有什么两样？”

冰云叹息一声：“我知道。但我仍然想做力所能及的事情，即便是在这里。我可以给荆棘光抛苔藓球。”

“太好啦！”荆棘光兴奋地说，“我保证能接到你抛的任何东西。”

“好啊，但不要太累了。”亮心警告白毛武士，“你休息得越好，就能越快回去履行武士职责。”

冰云开始用脚爪把苔藓拢到一起。松鸦羽退后几步，给两只年轻母猫留出足够的空间。他在从岩壁上滴下来的水积成的水坑边坐下，伸长脖子，舔食几滴冰凉的水。

亮心在他身边坐下时，他对她说：“沙风好些了，我真高兴。但她仍然不能完全摆脱咳嗽。但愿新叶季到来时，她能痊愈。”

亮心点点头说：“小樱桃已经康复，和平时一样活蹦乱跳了。其他猫的白咳症也过了最严重的阶段。”

“对。”松鸦羽站起来，弓起背，伸了个很大的懒腰，然后重新坐下，用尾巴包裹着脚掌。“我宁愿治伤，也不愿治疗这几个月来的这些疾病。”

“我也是。”亮心赞同道，“尽管冰云的肩膀受伤了，但我们不必担心她会传染给其他族猫！”

松鸦羽被她的话逗笑了。“真盼望新叶季快点到来。天气暖和

以后，猎物就更多，族猫们的体力就能完全恢复。药草也更多。两脚兽巢穴边的植物就有机会生长。"但一想到自己曾被迫用药草和影族交易，他的心情又阴郁起来，咕噜的笑声变成一声叹息。

"怎么啦？"亮心问。

"我又想起被迫给影族猫薄荷来交换常春藤爪——哦，不，藤池的事。"松鸦羽告诉她说，"小云生病了，我很难过，但影族从我们嘴里抢药草的行为实在太可恶了。"

我对其他巫医当时的表现也很不满，他在心里补充道。但他不愿意告诉亮心，他的其他族群的巫医同行们都一直各自为营，坚持按祖先的警示做。他们已经背离了巫医长久以来遵循的团结一致的原则。一时间，松鸦羽自问，是否应该为不想给小云药草的念头而内疚。但现在情况不同，他又坚定地在心里说，族猫的健康必须是我首先考虑的。

松鸦羽听到冰云和荆棘光在那边尖叫，知道她们一定过度兴奋了。

"我去看看。"亮心说着用尾巴尖拍拍他的肩膀，"嘿，你们两个，别闹了。冰云，你想一直在这里待到绿叶季吗？"

"但我们玩得很开心呀！"冰云抗议说。

松鸦羽让亮心去应付她们，自己则向巢穴入口走去，在黑莓屏风边坐下来。山毛榉树倒下后，留下一个缺口，本来用小树枝堵上了，但由于族猫们仍然从那个入口进进出出，小树枝现在已经没有了。他再次感觉到冷风迎面吹来。

那些小树枝也该清理干净了，我讨厌每次进出的时候都不知

道往哪里放脚。

他抬起头，抽抽胡须，感觉石头山谷中正在发生什么事情。

太阳下山了，白天有限的热度正在消退。罂粟霜正在把她的两只幼崽往育婴室里赶。沙风走出武士巢穴，爬上岩石，到火星巢穴里去了。荆棘通道口，狮焰和炭心正在向他们的前任学徒交代守夜的任务。

营地里和睦安宁，但松鸦羽的脚掌痒痒起来。他很清楚自己想去哪里：去检查一下冰云掉进去的那个洞。他几乎可以感觉到泥土下聚集了很多失踪猫，也就是那些没能从地道里爬出来的猫。

还有岩石！也许岩石也在那里！

松鸦羽记得他想救焰尾时，那只远古猫到湖里来告诉他，他的死期还未到。也许那意味着岩石准备再次和他谈话。

“记住，你们必须保持沉默。”狮焰的声音从营地那边飘过来，钻进松鸦羽耳朵里。“但这不是说你们不能互相帮助。如果你们中有一个看上去想睡觉了，另一个可以戳戳她，让她醒来。”

“就这样，你们走吧。”炭心说。

松鸦羽听到两名新武士走出荆棘通道，炭心向武士巢穴走去。狮焰转身去追她时，松鸦羽站起来，走过去拦住他。

“带我去那个洞。”他说。

“你真要去？”

“当然。”松鸦羽烦躁地甩了一下尾巴，“要不我怎么会请求你，鼠脑子？”

“好啦，好啦。”狮焰徐徐吹了口气，“别生气，我带你去。”

“那就走吧。”

松鸦羽跟在哥哥后面走进森林时，感觉到了石头山谷入口处两名守夜年轻母猫的好奇。他想，如果不是因为必须保持沉默，她们一定会问很多问题。

“我们……呃……有点事。”狮焰对新武士们说。

松鸦羽抽抽鼻子。你这样吞吞吐吐会让她们觉得更奇怪！“巫医的事情。”松鸦羽大声说，“我需要武士陪同。”

他跟在狮焰身后向旧两脚兽巢穴走去，感觉到那两只母猫一直盯着他的背影。他们走进灌木丛后，他知道鸽翅和藤池看不见他了，才放下心来。他跟在哥哥后面顺着旧雷鬼路往前走，然后转弯，开始爬坡时，他觉得脚掌沉重起来。太多记忆涌上心头。他好像又听到冬青叶跑进地道的声音，地下河在她身后咆哮。

我们无法阻止她。我们警告她时，她就是不听。

松鸦羽感觉到狮焰的皮毛靠在他侧腹上，暖暖的，他从记忆中惊醒过来。“靠着我走。”哥哥低声说，“这里不好走，还有黑莓藤。”

松鸦羽怀疑狮焰不仅是在带他走难走的路，而且肯定在回忆同样的事情，心里有着同样的担忧。能和兄弟皮毛相擦，他们心里都很安慰。但松鸦羽没去偷窥哥哥的记忆。他不想一次又一次重新经历那个可怕的时刻。

一次已足够。我永远无法摆脱它。

不一会儿，狮焰说：“我们正从那个旧入口边走过，至少我觉得是这里。现在已经被黑莓藤盖上，没有猫会再从那里进入地道了。”

两只猫又向上爬了几只狐狸身长那么远，松鸦羽感觉到脚掌

下的地面更平坦了。他加快步伐,直到几乎奔跑起来。

“当心!”狮焰喊道。当松鸦羽的胡须眼看就要碰到堆积在洞边用作临时围栏的树枝时,狮焰一掌将他推到一边。

“你自己才要当心。”松鸦羽反驳道。他重新站稳,不高兴地蓬松起身上的毛。然后,他伸出一只脚掌踩踩那些树枝:“我还以为尘毛和蕨毛已经把遮盖物修好了呢。”

“他们刚开始修。”狮焰说,“但还没全部修完。我们还能进去。”

“好。”

“我先进去。”狮焰继续说,“你在这里等着,我去看看。”

松鸦羽张开嘴,很想反驳他。我不是幼崽!你没必要照料我!但他还是把话吞回去了。狮焰的声音听上去很紧张,好像还有一点生气。松鸦羽猜测他是想到冬青叶的事很难过,而不是在为他这个瞎眼弟弟担心。他听到树枝沙沙响,知道狮焰从临时围栏中过去了。他跟上去,抽动胡须,想感觉出洞口边缘在哪里。

“当心!”狮焰警告他。

“我很小心。”松鸦羽倔强地说,并绕着洞口转了一圈,想知道洞有多大。然后,他伸长脖子,高叫一声,听着回音从下面传上来。“很深。”他说,“难怪冰云爬不上来。”接着,他轻轻把耳朵向前倾,想听听地下河的咆哮声,但今天什么也听不见。水位一定更低了。

“我必须下去,到地道里去。”松鸦羽宣布说。

他听到了哥哥无可奈何的叹息声。“我觉得你真是个十足的鼠脑子。”狮焰的声音听上去既愤怒又担心。看来,他很担心他们可能会发现什么。

“你难道不想知道真相吗？”松鸦羽问。

“什么真相？”狮焰挑衅地问，“既然已经隐藏了这么久，就能永远隐藏下去。冬青叶已经不在了，我们都知道，这样最好。重新把这些翻出来有什么意义？”

松鸦羽伸长尾巴，拍拍哥哥的肩膀。“自从族群猫来到这里，这些小山下面的地道里就有秘密传出来。”他说，“没有什么能永远藏在地下。没有。”

松鸦羽认为，在地下很远的地方，可以听到落叶的微弱声音。当年，落叶没能成为尖爪猫，被永远地困在地道里了。

“帮帮我！帮我找到出去的路！”那只远古猫的声音在回响。

狮焰长叹一声：“随你的便。但如果你坚持要下去，我不会让你自己去的，我会陪你。”他站到松鸦羽身边，低头向地道里张望。过了一会儿，他作出了判断：“太高了，不能往下跳。你不会也想和冰云一样扭伤肩膀吧。”

“用他们拉冰云和鸽爪上来的常春藤如何？”松鸦羽建议说。他既紧张又不耐烦，脚掌已经痒痒起来。“那根藤还在吗？”

“在。”狮焰回答说，“但它承受不住你的重量，更不用说我的了。我们得另想办法。”

松鸦羽听到树枝被移动的声音，狮焰再次跳过临时围栏。松鸦羽沮丧地刨着洞边松软的泥土。如果狮焰想不到办法，我自己跳下去！

然后，他听到哥哥回来了，拖着很重的什么东西。他把那东西从临时围栏上拖过来，咚的一声扔到松鸦羽身边。

“我找到一根从树上落下来的大树枝。”狮焰喘着粗气说，“我们可以把树枝的一头伸进洞里，顺着树枝爬下去，就像爬树一样。”

松鸦羽等着，他的耐心正在一点点退去。狮焰慢慢把树枝放进洞中。最后，他终于满意地说：“好了。我先下去，以确保安全。”

松鸦羽听到嘎吱一声，知道狮焰正在往下爬。他将爪子插进泥土中，感觉到身上的毛开始竖立起来。

“我下来了！”狮焰的声音从下面传上来，“下来吧，树枝顶端离你站的地方只有大约一条尾巴远。”

松鸦羽摸索着向前移动，他憎恶自己在这种情况下的无能为力。其他猫至少可以看到哪里有危险。

但是你自己要下去的，鼠脑子！那就继续吧！

最后，松鸦羽终于摸到树枝顶端了。他将爪子插进树枝，笨拙地爬到树枝上。枯叶擦着他的皮毛，发出沙沙的响声。树枝在他的重压下左右摇晃，他开始慢慢往下爬。

“就这样！你干得不错！”狮焰喊道。

松鸦羽欣慰地感觉到，他越往下爬，树枝越粗，树枝上的树结还让他有地方插爪子。于是，他信心倍增，加快动作。但一根小树枝突然戳到他腰上，他哎哟一声，停了下来，还差点松开脚爪。

“你没事吧？”狮焰问。

“没事！这树枝把我的皮都刮掉了！”他重新稳住身体，再次开始往下爬，直到听见狮焰喊道：“快到了，现在可以跳下来了。”

松鸦羽用力一推树枝，往前跳去，笨拙地落在一堆松软的泥土上。他摇摇晃晃地站起来，喘息着说：“成功了！”

“不知道这是不是个好主意。”狮焰嘟哝道，“下面好黑啊。”

这对我没问题，松鸦羽想，瞎猫在黑暗中一样看得见。

阴冷的空气席卷过来，带着曾经生活在这里的远古猫们的耳语声和记忆。他的脚掌一阵刺痒，渴望走进地道深处。“走吧。”他说。

“等等。”松鸦羽听到脚掌从石块上踩过的声音，意识到狮焰正向封住前面入口的土堆走去。“你想干什么？”

“把上次掉下来的石头搬走。”狮焰说，“既然我们已经下来了，就看个究竟。”

但你想知道可能发现的事情吗？不过松鸦羽没大声提出这个问题。他很清楚，一旦狮焰打定主意，和他争辩是没用的。因此，他也在狮焰身边蹲伏下来，帮着扒拉那些泥土和石块。锋利的石头边沿伤到了他的脚垫。时间慢慢过去，他的腿也累得疼起来。他听到狮焰也在他身旁喘着粗气。

我们好像在搬整座小山！

松鸦羽时刻期盼着脚掌能够碰到冬青叶那柔软的皮毛。他对闻到过的所有腐烂尸体的记忆涌上心头。但此刻，他只能闻到泥土、水和石头的气息。他停止扒拉石块，张开嘴巴，更加仔细地嗅着空气，但没闻到一点姐姐残留的气息。

狮焰将一块大石头掀到一边，停下手里的动作，说：“我看到了。”

“什么？是……”

“不。”狮焰的声音有点紧张，“只是一团皮毛……黑色的。”

“冬青叶的皮毛……”松鸦羽缓缓地说。

“她被坍塌的石头砸中了。”

“但她不在这里。”松鸦羽竭力让声音保持平稳,“即使这些就是砸中她的石块,它们也没能把她困在这里。”他转过身,把意识发送到地道那头更远处。但他能听到的只有远古猫的耳语声，很微弱,根本听不清。即使他们知道冬青叶发生了什么事,他们也没告诉他。

“你知道这意味着什么,对吗?”狮焰附在松鸦羽耳边说,“冬青叶还活着!”

第四章

一时间，喜悦之情从松鸦羽心里荡漾开来。姐姐没死！时光仿佛回到过去，育婴室中的他们还是幼崽，仍然以为松鼠飞是他们的母亲，全然不知有一天蜡毛可能对他们的安宁生活造成威胁。

但他很快又回到现实中来。“我们还不能确信。”他辩解道，“冬青叶可能受了重伤，从这里爬走，死在地道里的其他地方了。也可能她没找到出去的路。”

“的确如此。”狮焰难过地说，“我们都很清楚这一点，尤其风族还把入口封死了。”

“而且即使她真的活着出去了，她会去哪里？”松鸦羽想象着姐姐从地道里爬出去，抖落皮毛上的泥土，也许还在地上坐了一会儿，清理伤口。然后，她会怎么办呢？她永远不可能回雷族了。即使没有猫发现蜡毛的真实死因，冬青叶也已经受到了沉重的打击，因为她发现他们的母亲是叶池，父亲是风族的鸦羽。她无法忍受她曾经信任的猫欺骗了她。正是这一点迫使她放弃了一切，抛弃了她作为忠诚的雷族武士接受过的训练和拥有过的希望。

“她不可能回雷族。”他自言自语道。

“但她擅长捕猎和战斗，能保护自己。”狮焰说，“她可能已经在什么地方安下身来，成了独行猫。”

松鸦羽摇摇头：“雷族，还有武士守则，就是冬青叶的一切。”而且，他在心里对自己说，如果她真的还活着，我不是早就应该捕捉到她的一些信息了吗？我完全应该捕捉到的。

“走吧。”狮焰催促道，“我们必须探查一下这些地道，弄清楚究竟发生过什么事。”

但松鸦羽没往前走。远古猫的耳语声现在更大了，同时他好像听到他们的脚步声也变得更加狂乱起来：落叶一如既往地在寻找出路，寻找成为利爪猫的生活起点。松鸦羽记起他曾在地道里穿行，发现自己生活在那些远古猫中间。当时，他们正打算背井离乡，迁徙到遥远的石头小山中去。由于松鸦羽的反对，他们在离开湖区时对未来的迁徙地还没有一个一致的决定。

现在我能对落叶说什么？他知道他的族猫们是因为我才抛弃他的吗？

“你在等什么？”狮焰问。他已经站在那个地道入口处。松鸦羽迟疑地迈出一步，走到他身边。但他又突然停下脚步，因为一大滴雨点落到他头上。

“下雨了。”他说，“我们现在不能下去，太危险了，河水可能会泛滥。”

“该死！”狮焰愤怒地低声吼道。

松鸦羽心里有点内疚，因为他不像哥哥那样气恼，反而感到很宽慰。他顺着树枝往上爬，狮焰跟在他后面。这时，雨下得更大了。

他们俩爬出洞口时，雨点噼里啪啦落下来，把他们沾满泥巴的毛打湿了，紧贴在身上。

松鸦羽站在那里发抖，狮焰使出全身力气将树枝推进洞里。“好了。”他喘着粗气说，“没有其他猫会再掉进去了。尘毛和蕨毛早上就能把围栏修好。”

松鸦羽跟着哥哥往营地走。他们在泥地里疾奔，在灌木中穿行，雨点不停地打在他们脸上。他们走到石头山谷入口时，松鸦羽发现藤池和鸽翅还挤在荆棘通道下守夜。两只公猫穿过通道，向各自的巢穴走去时，两名新武士都没留意他们。

他们分开时，狮焰小声说：“我们必须和她们谈谈这事。”

松鸦羽生硬地点点头。先前在洞里一直为发现冬青叶的事担惊受怕，回营地的路上又被淋得浑身透湿，他已经精疲力竭了。

松鸦羽钻进黑莓屏风，摇摇晃晃地向自己的窝走去时，荆棘光坐起来问：“你去哪里了？”

“出去了。”松鸦羽不耐烦地回答说。然后，他突然意识到，巫医巢穴里只有一只猫的气息。“冰云去哪里了？”

“她回武士巢穴去了。她说她在那里同样能休息好。”

松鸦羽耸耸肩。他太疲倦，不想再对武士的行为发表评论。他们总是自以为比巫医懂得更多。他早上会再检查冰云的伤势。

“你身上湿透了，还满身是泥！”荆棘光惊呼道。

是的，而且脚爪锋利！你还想指出什么显而易见的事情吗？

“我很好。”松鸦羽大声说。

“不，你不好。”荆棘光倔强地说，“你湿得像只被淹死的老鼠，

眼睛都睁不开了。到这里来，我帮你清理一下。”当她听到松鸦羽没回答时，又顽皮地说，“我发誓不问你去哪里了。”

松鸦羽已经累得无心再和她争辩，只好向荆棘光的窝走去，扑通一声倒在她身边。片刻之后，他感觉到她正用舌头狂舔他的皮毛，还有节奏地拍着他的肩膀。一时间，他觉得很尴尬，仿佛自己成了被她照料的猫。不过，他觉得被舔的感觉很惬意，渐渐打起瞌睡来，不知道自己的母亲是否这样舔过他。

但哪个母亲呢？叶池还是松鼠飞？

他仿佛看见一张脸在低头看着他。开始时，他以为那是叶池，但那张脸又渐渐模糊，变成了松鼠飞，然后又变成冬青叶。她正用那双绿眼睛凝视着他，眼里闪着光。松鸦羽惊醒过来，半坐在地上。他感觉皮毛干干的，很暖和，全身都更轻松了。

“你没事吧？”荆棘光焦急的声音让他想起自己身在何处。

“我没事。”松鸦羽叹了口气。突然间，他好希望能和谁谈谈：不是星族猫，而是真正的朋友，就像狮焰和炭心那样的朋友。他觉得荆棘光不可能是那只猫。

“这一定很难，你要为族群做这么多事，还必须保守星族的所有秘密。”她小声说。

星族的秘密比我们自己的秘密更容易保守得多！

“我是巫医，这是我的工作。”他回答说，“你永远不用为这样的事操心。”

“是啊，你说得对。”荆棘光很小声地说。松鸦羽不知道她是否想让他听见。“因为我永远都没用了，对吗？”

松鸦羽站起来。他知道，尽管荆棘光一直在帮他做巫医的事，但没有什么能弥补她不能履行武士职责的遗憾。“谢谢你把我的毛舔干。”他说完就向自己的窝走去。

松鸦羽蜷缩在凤尾蕨中，睁开眼睛，发现自己又回到了那个洞底。雨已经停了。头顶上方，云团从天空中飞过，但松鸦羽却感觉不到一丝风。他向地道深处走去。通道前方现出些许微弱的亮光，仿佛星星正透过他头顶的泥土和岩石照射下来。他继续往前走，并竖起耳朵倾听最轻微的声音，但周围一片死寂。

远古猫哪里去了？

松鸦羽继续往前走，走进那缕银光中，直到走进地下河流入的那个洞。这次，河水很窄，黑黑的，在岩壁之间缓缓流淌，不像他上次来时那样疯狂泛滥。他心里升起一线希望，抬起头，向岩壁上看去，但那里光秃秃的，什么也没有。

突然，一阵很轻的脚步声在松鸦羽身后响起。他转过身，看到一个模糊的身影从另一条地道里滑动出来。“是落叶吗？”他问。

“不是。”一个熟悉的声音回答道。

“岩石！”

远古猫向松鸦羽走过来。他那又长又弯的爪子踩在石头地上，发出清脆的声响。他那双瞎眼睛鼓凸出来，无毛的身体上闪着苍白的光。他在松鸦羽面前停下脚步，表情严肃。

“你为什么把我的棍子折断？”岩石问。他的声音里听不出愤怒和悲伤，松鸦羽不知道他此刻的感受。

“我——我想和你说话，你又不在这里。”松鸦羽结结巴巴地说，“保留一根带划痕的棍子有什么用？”尽管他这样说，但他很清楚那根棍子的重大意义。

“我一直都在这里。”岩石答道。松鸦羽从他声音里听出了一丝悲伤。“我有事要说的时候就会来找你，而不是等着你召唤我。”

松鸦羽低下头，感觉自己像偷偷溜出营地被发现后正在挨骂的幼崽。

“那根棍子是你的历史。”岩石继续说，“你不能把它扔掉。过去的事永远都会伴随着你，曾经的武士猫将会再次成为武士。”

松鸦羽惊愕地用爪子挠着岩石洞底。“你是指冬青叶吗？”他急切地问，“你看到过她吗？她还活着吗？”

岩石眨眨眼。松鸦羽一想到远古猫那双灰色瞎眼仍然能把他看得很清楚，不禁打了个寒战。“你的过去在山地。”岩石告诉他，“我出生的地方，猫儿们以前回去过的地方。你必须去那里，完成这个循环。”

“回急水部落？”松鸦羽迫不及待地问，“他们遇到麻烦了吗？”

岩石没回答。突然，松鸦羽身后的一块石头发出叮当声，他扭头去看。当他再次转过头来时，那只远古猫已经消失了。

“岩石！”他喊道。回声消逝在静寂中，没有任何应答。

松鸦羽站在小河边，沮丧透顶。然后，他听到一阵不大的脚步声，正向他这边走来。他转头看去，看到一只姜黄色和白色相间的年轻公猫正从一条地道中走出来。

落叶走到松鸦羽面前，向他点点头，眼神忧伤。“你好，松鸦

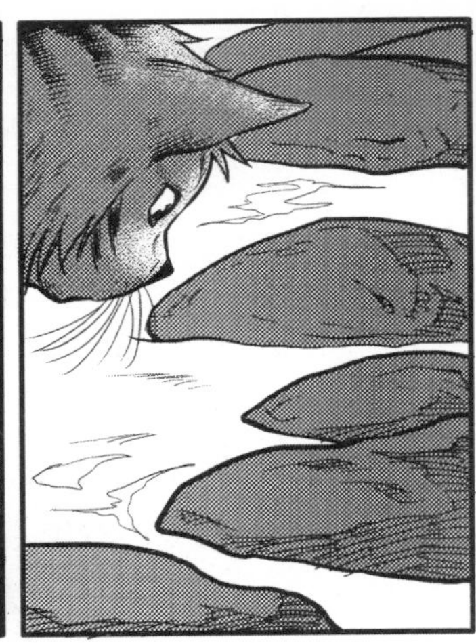

是落叶吗？
不是。
岩石！

你为什么把我
的棍子折断？
我——我想和你说话，
你又不在这里。
我有事要说的时候
就会来找你，而不是
等着你召唤我。

猫儿们以前回去过的
地方。你必须去那里，
完成这个循环。
回急水部落？
他们遇到麻烦了吗？

岩石！

翅。”他说。

松鸦羽一愣，因为落叶叫的是他在远古时代的名字。“你好。”

“其他猫都离开了，对吗？”

他语气平静，没有丝毫责备之意。但松鸦羽觉得更内疚了，因为他在远古猫离开湖区这件事上扮演了重要角色。落叶知道我做过什么吗？“是的，他们走了。”他承认道。

“我能感觉到他们在我心里留下的空洞，尽管寂静无声。”落叶说，“但你的猫们还在这里。走，我带你去看他们。”没等松鸦羽回答，他便穿过山洞，走进另一条地道入口。松鸦羽迟疑片刻，然后跑步追上去。

落叶领着他穿过很多条地道，松鸦羽还没明白是怎么回事，他们就已经重新站在冰云掉下去的那个洞里。那根树枝就在眼前，松鸦羽觉得太不可思议了。他在这些地道里徘徊过很长时间，他应该知道哪条路是最近的。

突然，松鸦羽意识到又要再次抛下这只年轻公猫了，他难以忍受这种离别，于是催促道：“跟我走。”

落叶摇摇头：“我们都知道这是不可能的。”他抬头仰望天空，乌云已经散尽，星族的武士祖灵们发出冰冷的光。“星星还在闪耀。”落叶小声说，眼神有些迷离，“我从没想过还能再次看到他们。知道他们还在，还和过去一样，这种感觉真好。过去一直在我们身边。”

松鸦羽惊得一跳，这是岩石说过的话！

“你的使命在那上面，对吗？”落叶用尾巴指着天空说，“你不属

于这里。"他伸出尾巴，松鸦羽也竖起尾巴，他们两尾相缠。

"祝你好运，朋友。"落叶继续说，"如果你需要我，我会来这里。"

"谢谢。"松鸦羽喃喃说道。然后，他小心翼翼地从那堆松软的泥土上走过，开始顺着树枝往上爬。等他再次向洞底看去时，落叶已经消失。"嘿，落叶！"他渴望再次看到落叶，于是把头探向洞口。

一个尖锐的东西猛地戳了一下他的侧腹。他眼前一黑，睁开眼，发觉自己正从窝边探出头，脸颊贴在巢穴的石头地上。

"松鸦羽？"荆棘光的声音含糊不清。松鸦羽意识到她正用嘴里叼着的一根小树枝戳他。

"别戳了。"他嘟哝着坐起来，抖落皮毛上的苔藓。

"我以为你做噩梦了。"荆棘光说。现在，她的声音更清楚了，"你说了好些奇怪的话……落叶什么的。你怎么啦？"

松鸦羽没回答她的问题。他起身从窝里走出来，跌跌撞撞地从黑莓屏风边走过，走进营地，差点一头撞上鼠须。年轻公猫正走向新鲜猎物堆，见状急忙从他身边闪开。"对不起。"他嘀咕道。

育婴室那边，罂粟霜的幼崽正在尖叫打闹，他们的母亲坐在一旁看着。藤池和鸽翅走出荆棘通道，摇摇晃晃地向学徒巢穴走去。由于通宵守夜，她们已经疲惫不堪，步伐沉重。

松鸦羽一时觉得奇怪，她们怎么还要睡在学徒巢穴。但他随即又想起，武士巢穴里空间狭小，学徒巢穴没有其他学徒，她们会睡得更香。

他听到黑莓掌的声音从石头山谷中传来，他正在向当天的第一批巡逻队和捕猎队下达命令："灰条，你率领黎明巡逻队，带上松

鼠飞、桦落和亮心。”

“我们马上就出发。”灰条回答。

“注意影族边界。”黑莓掌提醒他，“我们不想再遇到麻烦。”灰条带着巡逻队离开后，副族长继续布置任务，“刺掌，你带一个捕猎队去风族边界的小溪，可能岸边会有些猎物。”

“好的，黑莓掌。我带哪些猫？”

副族长犹豫片刻后说道：“梅花落、莓鼻和狮焰。炭心，带另一支巡逻队去湖边……”

松鸦羽一听到哥哥的名字，立即不再继续听黑莓掌讲话，而是走过营地，在荆棘通道前拦住狮焰。“狮焰，等等！我们必须去山地！”

“什么？”狮焰听上去很吃惊，也有些不耐烦，“松鸦羽，我要去巡逻。你现在不能让我去做那样的事。”

松鸦羽不屑地摆摆尾巴。“我做了个梦。”他倔强地说，“我们的使命在那里！”

他感觉到哥哥的兴趣已经被他激发起来。“是星族托的梦？”狮焰追问道。

“不是，是比星族更老的猫。我想他知道那个预言的来历，狮焰。我们必须去！”

第五章

藤池疲惫不堪地走进学徒巢穴，扑通倒进自己窝里的苔藓和凤尾蕨中，感觉脚掌都要掉了。“幸好守夜结束了，我能睡一个月！”

“但这是值得的。”鸽翅在妹妹身边蜷缩起来，“我们是武士了！”藤池感激地朝姐姐温暖的皮毛靠过来。鸽翅继续说：“今晚别去黑森林了。你需要休息。”

我要是可以选择就好了，藤池疲倦地想。鸽翅不是早就知道，何时去那个无星之地不是她可以控制的吗？如果可以不再去那里，我宁愿放弃一切。但是，她没把这些话说出来。她不想让鸽翅更多地为她的安全担心了。

姐姐的皮毛让她暖和起来，藤池坠入梦乡。一时间，她希望自己睁开眼睛时，可以看到熟悉的巢穴，阳光从入口处悬挂的草叶中照射进来。相反，她却发现黑森林苍白、病态的光晕投射在自己身上。她正蹲伏在一丛凤尾蕨的阴影中，头顶是枯死的蕨叶，一条狭窄的小路从她面前一尾远的那片灌木中穿过。

藤池叹息一声：我就知道会这样。

她还没来得及动弹一下，就听到了说话声，还听到几只猫从灌

木下走出来的声音。藤池蹲在原地未动，第一只猫出现在空地上。

“你看到蓟掌教我的那个动作了吗？”风皮炫耀道，“等着吧，我要把它用在一只雷族癞皮猫身上！”

“蓟掌太伟大了。”风皮的族猫日光跟在他后面走进空地，还有一只灰白毛学徒猫，藤池没认出是谁。“简直无法相信他曾是族群猫！”

三只风族猫从藤池面前冲过，消失在远方，没注意到她。她想：他们当然看不到我，现在天还没亮，他们要回家了。她正要从凤尾蕨下走出来，又听到更多的猫过来了，还闻到了影族的气味。

虎心！

藤池继续躲在阴影中。虎心绕过附近的一丛黑莓藤，向她走过来，鼠痕、苹果毛和他在一起。他们快要走到藤池躲藏的地方时，虎心故意落到后面，让族猫们继续往前走。他等在那里，鼻孔一张一合，直到族猫们走远，听不到他说的话。

最后，他说：“我闻到你的气味了，没必要再躲了。”

藤池从灰色凤尾蕨下跳出来，直面虎斑武士，理直气壮地说：“我没躲，我刚到这里。”

“那你为什么现在在这里？”虎心冷冰冰地问，“你以为在不同时间来这里就可以回避我吗？”藤池还没来得及回答，他又继续说道，“我知道你的一切。如果鸽爪知道你甚至想杀死一只无辜的猫，她会怎么说？”

藤池突然愣住了，回想起断星曾试图让她杀死焰尾的可怕经历。现在焰尾是否会出乎意料地从星族站出来证明她的忠诚呢？

如果虎心没有阻挠，我会不会已经把焰尾杀了？

“我别无选择——”她喵道。

虎心猛甩一下尾巴，咬牙切齿地说：“选择总是有的。”

藤池心里的怒气像野火点燃干草般噌地蹿上来：“你的意思是说，就像你利用我姐姐探听雷族库存药草情况这样的选择吗？难怪她不想再见到你了！”

“我没利用她。”虎心的琥珀色眼睛阴沉下来，“但我也没期望你会相信我。”说罢，他转身追赶族猫们去了。

藤池看着他的背影消失在小路转弯处。然后，她转身向反方向走去。她刚走出几只狐狸身长那么远，绕过一丛荆棘，就差点迎头撞上蓟掌。

“见到你真是太好了。”灰白毛武士笑着说，“常春藤爪，真高兴你已经决定加入我们。”

“我叫藤池了。”她骄傲地反驳道，“我现在是武士了。”

“在这里还不是。”蓟掌告诉她，“要等到我说你是你才是。”他声音里带着嘲讽，“但如果你不能准时参加训练，那可就是很久以后的事情了。”

“我在守夜。”藤池仍然昂着头，但她心里很紧张。

“跟我来。”蓟掌只说了这三个字。他带着藤池离开小路，穿过浓密的灌木丛，一直走到老橡树下的一块空地上。空地中间有一大堆倒树，上面盖满滑溜溜的苔藓。树干上长着灰白的蘑菇，布满病态的黄色斑点。

“现在——”蓟掌喵道。

他的话被打断了，有猫从凤尾蕨中疾步走来。藤池刚刚闻出风族的气味，蚁毛就突然出现了。

“对不起，蓟掌！”他喘着粗气说，“一星派我进行夜间巡逻，我才刚刚睡着。”

一股寒意从藤池身上掠过。蚁毛和她一样，也是通宵未眠。在他们的世界里，现在是白天，温暖的阳光照在枯叶季光秃秃的树枝上。但黑森林里仍然被黑暗笼罩着。

难道这里永远是黑夜？她很纳闷。

蓟掌没理会蚁毛的道歉，而是说：“我有新任务给你。看到那些倒树了吗？你向它们发起攻击，而你——”他转身看着藤池，他那身缠结的灰白皮毛离她的脸只有一只老鼠的身长那么远。“——将保护它们。蚁毛，如果你能把常春藤爪逼到那堆树顶上去，你就赢了。”

蓟掌刚刚一摆尾巴，藤池已经跳上最低的树干。她心里充满期望，对自己的战斗技能无比自豪。我要让风族武士见识一下雷族猫的厉害！

蚁毛向她跳过来，但没有伸出爪子，仿佛这是族群里的训练课。藤池立起来，用后掌保持身体平衡，用前掌猛击蚁毛耳朵上方，她也没把爪子伸出来。蚁毛退后一步，然后再次向她冲过来，试图从侧面将她撞倒。藤池灵巧地往旁边一闪，同时用柔软的脚掌向他肩上打去。

“怎么？你们是幼崽吗？”蓟掌怒吼道，“我说的是战斗。”

蚁毛再次向藤池冲过去。这次，他伸出利爪，龇出牙齿，跳到藤池身上，死死掐住她的后颈。藤池强忍剧痛，用力向他打去。无奈蚁

毛离得太近，她的打击力度不大。在她挣扎着想摆脱蚁毛的同时，蚁毛将她推到第二根木头上。

蓟掌哼了一声，嘲讽地说："雷族武士现在接受的就是这种训练吗？"

藤池号叫一声，怒不可遏地用尽全身力气向蚁毛撞过去。但她跳起来时，脚掌在灰白的蘑菇上一滑，笨拙地向一边倒去，落在最下面的木头上，差点被摔断气。不过，她仍然立即做好了准备，迎接蚁毛的下一轮进攻。可是，当她抬起头来时，发现他已经站到一边，正等着她爬起来，继续战斗。

藤池感激地向他点点头，吃力地站起来。但她还没来得及发起进攻，蓟掌已经张牙舞爪地从她身边冲过去。蚁毛惊愕地瞪大眼睛，向后退去，避开狂怒的武士。结果，蓟掌稳稳落在那堆倒树顶上。

"胆小鬼！"蓟掌讥讽地说，并伸出一只巨大的前掌去打蚁毛，"拿出点勇气来！"

蚁毛龇牙咧嘴地跳到灰白公猫身上，咬住蓟掌的后颈，用利爪从他肩膀上划过。蓟掌像甩一片枯叶一样，将他从背上摔下来，把他死死压倒在木头上。蚁毛用后掌狠命地打他，扯下蓟掌好几缕皮毛。

"这还不错！"蓟掌低吼道，"现在你才像个武士了！"

说着，他将有力的爪子插进蚁毛双肩，像摇晃狐狸一样摇晃着他。藤池惊愕地看到，鲜血从风族武士皮毛下涌出来，浓烈的血腥味让她只想吐。

"蓟掌，够了！"她吼道。

那名武士没理会她。相反,他伸出脖子,用牙齿咬住蚁毛的后颈,将他扔下树堆。蚁毛重重地摔落在藤池面前的地上。

他痛苦地蠕动着,试图站起来,结果却呻吟一声,咚地重新倒下。藤池惊恐地在他身边蹲伏下来,伸出脚掌分开他的皮毛,发现血正从伤口往外涌。

"别管他!"蓟掌从树堆顶上命令道,"他打输了,就该这样。"

"但他受伤了!"藤池抗议道。

"他会好的。"那名武士怒吼道。他走下树干,向两名年轻武士走过来。

趁他还没走到他们面前,藤池俯下身,在蚁毛耳边小声说:"快醒过来!你其实不在这里,你在风族自己的窝里。"

蓟掌的脚步声更近了。

"快呀!"藤池嘶声喊道。

蚁毛呜咽一声。藤池用脚掌碰碰他的肩膀,欣慰地听到他长叹一声,又看到他把眼睛睁开了。然后,他沉沉睡去,身体颤抖几下,消失了。除了草上凝结的几团血块之外,什么也没留下。

与此同时,蓟掌跳到地上,他的绿眼睛里喷着怒火。"胆小鬼!"他怒视着蚁毛消失的地方,脱口骂道,"风族猫跑得快就是这个原因吗?为了逃跑?"

"我一直就知道他胆小如鼠。"藤池很清楚,她必须附和蓟掌,"这下没有猫和我一起训练了。"

"不,我们有。"蓟掌把目光转向她,伸出舌头舔舔嘴唇,仿佛期待着品尝下一只特别鲜美多汁的猎物,"你可以和我打。"

藤池的心狂跳起来，她觉得心似乎要从嘴里跳出来了。“好吧。”她说，并设法让自己的声音听上去显得很急切。

她的话音未落，那名黑森林武士已经向她撞过来，撞得她四脚离地，咚的一声倒在地上。蓟掌把全部重量压在她身上，并伸出利爪向她的肩膀抓来。藤池本能地瘫软下来。当她感觉到蓟掌放松警惕之后，立即扭动身体，从他身下爬出来，迅速向他侧腹打了两掌，然后跳到一边。

由于过度疲惫，她感觉头很晕，脚掌重得像石头。但蓟掌愤怒的嘶嘶声给了她力量。当他转过身来，再次向她发起进攻时，她蹲伏下来，等着他，还左右摇摆着尾巴。当蓟掌跳起来时，藤池滑步向前，从他肚子下钻了过去，在他身后冒出来，狂抓他的腰臀部。蓟掌的尾巴向她脸上扫来，她狠命地一口咬下去，满意地听到了那名武士痛苦的号叫声。蓟掌把尾巴从她牙齿间抽出来，以她始料未及的速度转过身。藤池尽管头晕目眩，却仍然警惕地注视着他，猜测着他下一步会往哪里跳。当蓟掌跳起来时，她往旁边一闪。但蓟掌伸出一只脚掌，将她打倒在地。藤池尖叫一声。他们同时滚落到草地上，用牙齿撕扯着对方的皮毛。

藤池把头顶在蓟掌脖子上，用力去咬他的喉咙，蓟掌号叫着将她甩开。她咚地撞到树堆底部，喘着粗气往树堆上爬，全然不顾苔藓和蘑菇沾到皮毛上。最后，她终于站到了树堆顶上。

“我赢了！”她吼道。

蓟掌从地上爬起来，怒视着她，骂道：“鼠脑子，我说的是谁站到树堆顶上，谁就输了。”

"但我不是被你赶上来的。"藤池洋洋得意地说,"我是自己爬上来的。而且我已经准备好再次跳到你身上。所以,我赢了!"

"我定的规则是——"蓟掌还想狡辩。

"小猫说得没错。"一声怒吼把他的话打断了。枫荫从一棵老橡树后面走出来。藤池不知道她已经在那里站了多久。"认输吧,蓟掌。自己去舔伤口。"

蓟掌厌恶地打了个响鼻,转身走了。当他气冲冲地穿过空地,走进树林时,藤池开心地看到,他的腿瘸了。

枫荫走到树堆底部,向藤池抽抽耳朵,示意她下来。藤池站到她身边时,枫荫说:"我曾经怀疑过你的忠诚,但现在我开始改变看法了。战斗开始时,你会和我并肩作战。"

"战斗什么时候开始?"藤池假装急切地问,希望枫荫能向她提供一些信息,以便她回去向松鸦羽和狮焰报告。

"别着急。"枫荫赞许地看着她,"你虽然把蓟掌打败了,但你还需要学习很多东西,才能成为经验最丰富的武士。"

"我只是想做好准备。"藤池坚定地说。

"你会的。"枫荫向她保证说,"不会太久了……"

让藤池欣慰的是,枫荫向她点头告别,渐渐消失在树林里。由于睡眠不足,加上刚才那番鏖战,藤池瘫倒在地上,闭上眼睛,感觉黑森林在她周围慢慢消失。

干苔藓的气味和姐姐熟悉的气息刺激着她的鼻腔,藤池长叹一声,睁开眼睛。鸽翅还躺在她旁边熟睡,一只脚掌搭在她肚子上。

为了不惊醒姐姐，藤池小心翼翼地把姐姐的脚掌拿开，步履蹒跚地走进空地。天空灰蒙蒙的，但她估计已经快到正午了。蕨毛、栗尾和蛛足正在新鲜猎物堆边闲聊，香薇云在育婴室入口处打瞌睡，波弟和鼠毛并肩坐在长老巢穴外。藤池猜测，那只前独行猫又在给鼠毛讲他那些没完没了的故事了。

黑莓掌从荆棘通道里钻出来，嘴里叼着一只松鼠。桦落和白翅跟在他身后，他们都叼着老鼠。玫瑰瓣叼着一只野鼠走在最后。

多么安宁的景象啊，藤池心里想。

但她满脑子都是最后那场战斗的场面：猫儿在号叫，爪子在挥舞，鲜血浸透石头山谷的泥土，死猫遍地，皮毛都被剥掉了……

我能阻止这场战斗吗？万一不能怎么办？我真的能挽救我的族猫吗？

第六章

鸽翅坐在学徒巢穴外梳理皮毛。族猫们在她身边团团转，等着去参加森林大会。最后一缕日光正从石头山谷里消失，满月已经升上天空。她伸长脖子去舔后颈上的毛，试图平缓一下焦虑的心情。如果藤池和我一起去参加森林大会，我会更开心。

几天前，她们刚刚成为武士，藤池就在黑森林受了伤，现在伤还没好。那天鸽翅醒来时，看到妹妹的状况，惊得目瞪口呆。妹妹腹部和肩膀上都是深深的抓伤，皮毛上凝结着一块块血痂。伤势很重，鸽翅不得不去叫松鸦羽。他用蜘蛛网和款冬给藤池治疗，还编造了一个故事，向族猫们解释藤池的伤，说她掉进黑莓丛了。

想到冰云也掉进洞里，鼠毛还喋喋不休地说年轻猫们多么愚笨，但藤池一直默默忍受着。她一直拒绝告诉其他族猫她是怎样受伤的，包括鸽翅在内。

鸽翅非常替妹妹担心。看到族猫们还没有离开的迹象，她又溜回学徒巢穴。藤池还蜷缩在自己窝里。鸽翅进去时，她抬起头来，满眼疲惫地看着姐姐。

“你必须向我保证今晚不再去黑森林了。”鸽翅恳求道。

“我别无选择。”藤池倔强地摇摇头说，“即使我向你保证了，我也不得不去，因为我对那场战斗的事还知道得不够多。”

“但——”鸽翅沮丧地打住话头，心里希望妹妹能像过去那样对她讲知心话。她还在生我的气吗，因为我以前没把我有特殊力量的秘密告诉她？“我很为你担心，真的。”

“我会没事的。”藤池自豪地说，“我能应付。”

鸽翅强忍住心里涌起的一丝嫉妒。因为她是在为雷族做这一切，她就认为自己比我能干吗？“藤池，我只是想——”她又开口说道。

“鸽翅，原来你在这里！”黑莓掌的声音打断她的话。鸽翅转过头去，看到雷族副族长正掀起巢穴入口的草帘向里面张望。“走吧，我们准备出发了。”

“对不起，藤池，回头见。”鸽翅说完匆匆走出巢穴，穿过空地，冲向荆棘屏障。族猫们已经等在那里，准备进入荆棘通道了。

“嗨，鸽翅！”榛尾招呼她，“藤池没事吧？”

“她很好。”鸽翅回答。

她看到炭心满面焦虑地向她走来，估计她想问问她的前任学徒的情况。但现在没时间说话，炭心只好转身走进通道，鸽翅跟在她后面。

火星迈着轻快的步伐穿过森林。月亮在小路上投下团团阴影，每一片草叶和每一簇凤尾蕨上凝结的银霜都在闪着微光。鸽翅跑出树林，站在通往湖边的斜坡顶上，大口喘着气。月光在湖面上映照出一条银色光带，从湖岸的一边延伸到另一边。水波轻轻拍打着鹅卵石湖岸。

鸽翅跟在族猫们后面沿着水边往前走，趟过风族边界那条小溪，向马场走去。她回想起湖面上的薄冰和犬牙交错的裂缝，无情的湖水吞没了焰尾。在那之前，湖底曾是一片接近干涸的烂泥，点缀着星星点点的小水坑，鱼儿在水坑里扑腾，饥渴的猫儿聚集在水坑边，争着去喝最后几滴水。

鸽翅意识到：除了那个预言，一切都在变。但她至今仍然不清楚，那个预言究竟是怎么回事。

"嗨，鸽翅！"狐步的声音打断她的思绪，"我们比赛谁先跑到树桥！"

鸽翅从武士们身边冲过，向他追去。他们一同跑过河族的气味标志，气喘吁吁地在树桥边停下脚步。其他族猫已被他们甩在后面。

"你跑得真快！"狐步钦佩地说。

"你也不错啊。"鸽翅回答，并用尾巴轻轻拍拍他的肩膀。

族猫们跟上来。火星跳到树桥上，率领大家向小岛走去。鸽翅将她的意识发送出去，发现其他三个族群已经到了。她感觉到一种强烈的不安，脚掌刺麻起来，疾步走下倒树树干，冲过湖滩，钻进老橡树周围的灌木丛中。

空地上，其他族群的猫正不安地团团转。鸽翅意识到，他们仍然和各自的族猫们在一起，而不像以往那样与其他族群的猫闲聊。雷族出现时，她感觉到了影族猫的敌意。有一两只影族猫甚至伸长脖子，嘴里发出狂怒的嘶嘶声，或者故意转过身去。

鸽翅情不自禁地寻找虎心，发现他在一丛冬青下的阴影中。他那双琥珀色的眼睛捕捉到她的目光时，她感觉浑身一阵燥热，立即

把头转开了。她永远无法原谅这只虎斑公猫利用她探听松鸦羽的药草库存情况。她让我成了影族的密探!

但鸽翅也无法忘记和虎心一起度过的时光。他们曾在影族领地边的那个旧两脚兽巢穴里玩得那么开心，他们的月下幽会曾是她生活中最重要的事情。

“鸽翅? ”一根尾巴尖轻轻放到她肩膀上。她转过头去,看到是黄蜂条。“别为那些影族猫烦心。”年轻公猫喵道,“他们都是狐狸心肠。”

鸽翅嘀咕着表示同意。当黄蜂条用耳朵指向他们自己的族猫时,她跟在他后面走到族猫中间。但她还是忍不住回头看了虎心一眼,他正和她以前没见过的一只河族猫聊得起劲。

也许又是一名黑森林武士,她不由得打了个寒战。我过去怎么会相信虎心呢?毕竟他和虎星有血缘关系。任何一只猫都知道虎星有多邪恶!

但她接着又想起黑莓掌也是虎星的亲戚,心里有些内疚。黑莓掌一点不邪恶! 他还是雷族副族长!

现在,四名族长已经在老橡树上各就各位。火星站在一根大树杈上,雾星蹲伏在他下面的一根树枝上。一星坐在更高的一根树枝上,尾巴垂下来。起初鸽翅根本没看到黑星,后来才在一根大树枝上的一簇枯叶中发现他。他那身白色皮毛上泛着斑驳的光影,他正低头怒视着空地,眼睛里闪着光。

鸽翅在黄蜂条身边坐下。空气清冷潮湿,她浑身颤抖起来。一星宣布森林大会开始。

“尽管天气寒冷，但猎物仍然丰富。”他报告说，“须鼻已经被命名为武士。”

“须鼻！须鼻！”风族猫欢呼年轻公猫的名字。年轻公猫低下头，看上去既开心又羞涩。

鸽翅也欢呼起来。但她注意到，没有多少其他族群的猫加入到欢呼中。森林大会应该是各族群和平共处的时刻，我们这是怎么啦?

一星重新坐下，扫视着树下的猫群，仿佛也在问自己同样的问题。黑星从那堆枯叶中冒出来。他先默默地看了空地上的猫群一眼，然后开始讲话。“我们的巫医小云受到白咳症的短暂侵袭。”他宣布说，“但他现在已经痊愈，一如既往地强壮，影族也一样。”说罢，他紧紧闭上嘴巴，向后退去。

“哼——白咳症的短暂侵袭！”鸽翅嘟哝道，“小云当时都快死了，所有雷族猫都知道。难道黑星感谢我们一下就会断条腿吗？”

黄蜂条向她眨眨眼：“这就是影族，你知道的。”

雾星站起来。“河族很高兴地看到，湖里的冰已经开始融化。”她说，“我们又可以捕鱼了。这个月河族命名了两名新武士：冲尾和鳟溪。”

“冲尾！鳟溪！”这次更多其他族群的猫和河族猫一起欢呼起来，仿佛大家已经开始放松了。鸽翅也大声欢呼着，心里想，也许是雾星的信心和友好的说话方式赢得了大家的好感。这名河族族长一直愿意与其他族群合作。

欢呼声低下去之后，雾星继续说道：“我们领地上出现了一头獾，但芦苇须、知更翅和花瓣毛一起把它赶走了。”

“往哪里赶的？”风族副族长灰脚大声问，“我们需要当心它吗？”

“我想不必。”雾星回答说，“它从马场边离开的，往山里走了。”她又礼貌地补充说：“如果我觉得有危险，我会通报你们的。”

雾星做完报告后，向火星点点头。当火星站到树枝上时，鸽翅羡慕地看着他强健的身体和光滑的火红皮毛。“雷族也有好消息。”火星大声说道，“几天前，我命名了两名新武士：鸽翅和藤池。”

其他族群欢呼她和妹妹的名字时，鸽翅心里荡漾起温暖的自豪感。藤池要是在这里就好了。

欢呼声再次停止之后，风族的莎草须问：“嘿，藤池怎么没来？”

“是啊，她应该来这里，参加她第一次以武士身份出席的森林大会。”河族的锦葵鼻补充说。

鸽翅还没来得及回答，火星抢先说：“藤池出了点意外，她捕猎时和一丛黑莓藤发生了一点争执。但我们的巫医已经治疗了她的擦伤，她很快就能重新捕猎。下次森林大会她会来的。”有几只猫低声表示同情。

突然，黄蜂条用脚掌推推鸽翅，她惊得跳起来。“你看那些巫医！”他悄悄地说，“他们看上去好像很不自在，你觉得他们是不是吵架了？”

鸽翅觉得他说得没错。其他猫都开始互相打闹了，巫医们仍然各自为政。蛾翅和柳光在低声交谈；小云一直待在黑星身边；隼飞蹲伏在一丛荆棘下，眯着眼睛，仿佛在怀疑地怒视着森林大会现场；松鸦羽坐在老橡树树根边，用尾巴裹着脚掌。

“我敢打赌，一定是松鸦羽的错。”鸽翅半开玩笑地悄悄对族猫

说，“他很挑剔，即使他把其他巫医都惹恼了，我也不会感到吃惊。”

但她心里却有些担忧。巫医不像我们有族群界限，出什么问题了吗？

她环顾四周，看到风族的裂耳、网脚正和影族的高红聊天，不知道三位长老是否在回忆大迁徙的事，这好像是他们在森林大会上最喜欢谈论的话题。两三名学徒已经开始在空地边玩起了打仗游戏。莎草须和花瓣毛正聊得起劲，也许在回忆斗海狸的事。

“嗨，黄蜂条！”年轻的河族公猫草皮跑过来，“荆棘光怎么啦？我好久没看到她来参加森林大会了。”

黄蜂条显得有些吃惊。火星从未在森林大会上宣布过荆棘光受伤的事。鸽翅猜测他可能认为，那会让荆棘光和雷族显得脆弱。再者，现在也不是向其他族群宣布这个消息的恰当时机。

于是，她急忙插话，帮黄蜂条解围：“哈，你应该知道的呀。她很好，就是有点忙，和我们其他猫一样。”

“哦。”草皮眨眨眼说，听上去有点失望。接着，他向自己的族猫走去。

黄蜂条长叹一声，目送那只年轻公猫走开。“谢谢。”他悄悄对鸽翅说。

鸽翅耸耸肩：“我说的都是事实。”

黄蜂条瞪大眼睛：“你知道自己没说实话。”

鸽翅能听出他声音里的痛苦，于是伸出尾巴，轻轻拍拍他的肩膀。“看到姐姐伤成那样，你一定很难过。”

“你不知道这是什么样的感觉。”黄蜂条低下头。

“不，我知道。”鸽翅想到了藤池：我也担心自己的妹妹。

“我尽量不表现出为荆棘光难过的样子。”黄蜂条继续说，“我知道，她最不想看到的就是这个。但我心里的确为她难过。不过，我也为她自豪，尽管她知道自己不可能再走路了，仍然那么努力。”

“我相信荆棘光会理解的。”鸽翅笨拙地回答，心里希望自己能说点别的什么来安慰族猫，“有你这样的弟弟，她很幸运。”

黄蜂条眨眨眼，眼里闪着光。“谢谢你，鸽翅。”

薄荷毛和知更翅从河族那边走过来，向他们点点头。“雷族的猎物怎么样？”薄荷毛询问道。

黄蜂条回答的时候，鸽翅退后一步，环顾着空地上的猫群。我不是在找虎心！根本不是！她向小岛上的厕所走去，发现网脚、裂耳和高红就在不远处的荆棘边聊天。

“……从没见过那样的伤，从没在战场外看到过。”网脚说。

“可怜的蚁毛。”高红嘟哝道，“我上次在森林大会还见过他，他是只很有前途的年轻猫。他怎么会受伤？”

裂耳摇摇头：“谁也不知道。蚁毛伤势太重，无法告诉我们是怎么回事。但我想一定是被狗咬的，伤口一直不好，他病得很重。”

网脚声音沙哑地补充说：“隼飞对他的痊愈都不抱希望了。”

可怜的风族，鸽翅同情地想，幸好雷族领地上的狗不多。

她走进灌木丛，向厕所走去，长老们的声音渐渐消失在她身后。方便完之后，她刨了些土把粪便盖上。然后，她听到了黑莓掌的声音。

“雷族！该回家了！”

她从灌木中走出来，看到小路上有个身影。她走近时，虎心走上前来，挡住她的去路。

"我们得谈谈。"他说。

"我们之间已经无话可说了。"鸽翅没好气地说。

"求你了！"虎心那双琥珀色的大眼睛里满是沮丧，"我没有利用你。我向你发誓，我没有。好吧，是我告诉黑星松鸦羽有药草的，但那并不能改变我过去对你的感情。"他顿了顿，压低声音补充说："以及我将来对你的感情。"

鸽翅将前爪插进地里。她心里激动起来，很想对虎心让步，相信他说的话。但她仍然倔强地回答说："我们现在不谈这事，这种场合不适合。"

"那我们在老地方见。"虎心催促道。

"不，虎心。我对你已经没有感情了。"鸽翅违心说出这句谎话时，心情顿时无比沉重。

影族公猫眼里喷出怒火："你妹妹是不是对你说我的坏话了？"

鸽翅心里一惊："比如什么？"

"算了吧，但也许你对你妹妹也不像你想象的那样了解。"

鸽翅凝视着他，他说的肯定不是藤池在黑森林训练的事，他知道我知道这事。

突然，虎心凑到她面前，熟悉的气味扑鼻而来。"藤池不是你想象的那种猫。"他小声说。

我也不是你想象的那种猫。鸽翅很想把这句话大声说出来，但不知怎么回事，虎心让她感到害怕。他好像在同情我，想帮助我！

幸好,黑莓掌的另一声呼喊传过来,打断了他们的对话。雷族副族长在招呼雷族猫集合了。

"我得走了。"鸽翅说,"我不想再听到你说的任何一个字。"

虎心没再说什么,只是点点头,大步走开了。但是,尽管鸽翅已经摆脱了他,却感到自己的一半仿佛被留在他身边了。

我为什么就不能彻底忘记他呢?

回营地的路上,鸽翅注意到,黄蜂条正走在她身边,离得比平时更近。但虎心的气味仍然萦绕在她身边,她仍然觉得那双琥珀色眼睛还在凝视着她,还能听到他温柔的话语。

当她意识到黄蜂条正在说什么时,惊得一跳,脱口问道:"你说什么?"

黄蜂条眨眨眼:"我——我只是说希望藤池下次能和我们一起来。"

"对不起。"鸽翅竭力把虎心抛到脑后,"我刚才不是故意大声说话的,我可能太累了。"

黄蜂条点点头:"我也是。"说罢,他加快步伐去追莓鼻和鼠须。

鸽翅默默走了一会儿。然后,她意识到梅花落已经填补了她哥哥的位置,走到了自己身边。

"你知道吗,我哥哥的心已经被你偷走了。"年轻玳瑁色武士低声说。她的语气像开玩笑,但鸽翅发现她的眼神很严肃。

而且,她的话听上去好像带着一丝提醒的意味。

"黄蜂条?你这话不是当真的吧?"看到梅花落没回答,鸽翅又

可怜的风族，幸好雷族领地上的狗不多。

我们得谈谈。
藤池不是你想象的那种猫。
我们之间已经无话可说了。
我也不是你想象的那种猫。

补充说,“说实话,我相信他对我没那个意思。”

幸好,梅花落好像相信了她的话。“你现在是武士了,真好。”她喵道,“我们可以一起捕猎巡逻,一起做所有事情了!”她那双大眼睛里反射着月光,“我不知道独行猫和泼皮猫是怎样生活的。你知道吗,鸽翅?”

“不知道。身为武士的感觉真好。”鸽翅回答说,但她说得有些心不在焉。她多么希望自己能有梅花落那样的热情啊。

虎心想告诉我什么呢?藤池在隐瞒什么?

鸽翅还没走进自己的巢穴,就听到妹妹在呜咽。藤池正在她窝里的凤尾蕨中扭动着,尾巴左右摇摆。鸽翅爬进窝里,在她身边蹲伏下来,轻轻摇摇她的肩膀。

“嘿,藤池,醒醒!”

藤池惊醒过来,眨眨眼睛,挣扎着站起来,瞪大眼睛,伸出爪子。“怎么啦?出什么事了?”

“没事。”鸽翅小声说。不过,她心里万分焦虑,“是我。你又去黑森林了?”

藤池摇摇头。“没有,做了个噩梦。”她在窝里坐下,开始梳理皮毛,“森林大会怎么样?”

鸽翅耸耸肩:“你没错过什么,没有哪位族长报告了什么有趣的事情。”

“火星一定宣布我们现在是武士了。”藤池说。

“是的!你没去那里,很多猫都很遗憾。风族和河族也有新武士

了。”鸽翅报告说，“嗯，我想风族一定遭遇狗了，一星没宣布。但我无意间听到几位长老说，蚁毛被狗咬成了重伤。”

“蚁毛！”藤池愣住了，“他们还说了些什么？”

鸽翅眨眨眼。星族啊，千万别告诉我她爱上那名风族武士了！

“快给我讲讲！”藤池恳求道。

“我没太去注意他们说的话。”鸽翅承认道，“他们又不是在和我说话。他们说……蚁毛伤得很重，无法告诉他们究竟发生了什么事，而且隼飞认为他可能无法痊愈。”

“噢，不！”藤池惊恐地哀号一声，“都是我的错！”

“你什么意思？”但鸽翅话一出口就有点明白了，“这和黑森林有关，是吗？”

藤池点点头，将爪子插进窝里的凤尾蕨中。过了一会儿，她才开始说话，声音很轻。“蓟掌在训练蚁毛和我。我和蚁毛就像你和我进行战斗训练时那样，练习各种动作，但尽量不互相伤害。我滑倒了，蚁毛等着我站起来。”她难过地吞咽着，“没想到蓟掌却说蚁毛是胆小鬼，还嘲笑他和风族，直到蚁毛向他发起进攻。蓟掌简直要把他撕碎了，我真怕他会把蚁毛杀死，所以急忙把蚁毛唤醒，他才从黑森林消失，回到风族去了。”

“那就不是你的错。”鸽翅理直气壮地说。她在竭力压制心里的恐惧，但身体仍然不由自主地颤抖起来，仿佛她刚跳进冰水中。“藤池，你真的很危险。”她说，“你必须告诉狮焰和松鸦羽，你不能再帮他们当密探了。”

“现在我不能放弃！”藤池抗议道，“我很快就能知道战斗什么

时候开始了。枫荫是黑森林里很老的猫，其他猫好像都怕她，甚至虎星也怕她。不过，她好像对我特别感兴趣，她现在还很信任我。我很快就能知道真相了！”

鸽翅却觉得永远不想让枫荫这种猫对自己产生兴趣。不过，她还是说："我保证什么也不说。你再睡会儿吧？还要过一阵子才会天亮。"

藤池伸出脚掌，打了个巨大的哈欠。"我还是再睡会儿。"她蜷缩在凤尾蕨中，闭上眼睛。鸽翅很快就听到她发出均匀的呼吸声，知道她睡着了。

她在妹妹身边躺下，但却无法入睡。刚刚听了妹妹说的事，还发现另一名武士也在黑森林参加训练，她脑子里乱哄哄的，仿佛有一群蜜蜂在飞。

参加森林大会的任何一只猫都可能在效忠黑森林，甚至可能包括她的一些族猫……

鸽翅叹息一声，不知道自己是否还会再相信任何事情。

第七章

松鸦羽钻出荆棘屏障时，发现火星正和沙风并肩向族长巢穴走去。松鸦羽尽管很疲倦，但知道还是要马上和族长谈谈。他已经用了太长时间思考——怎样说服火星同意他再去一次山地。他快步走上前去，在高岩下追上火星。

“火星，我得和你谈谈。”他喊道。

他能感觉到族长很吃惊。“现在吗？不能等到明天早上？”

“不能。”

火星犹豫片刻，然后回答说：“好吧，到我巢穴来。”

“我去看看罂粟霜和她的幼崽。”沙风机灵地说，“他们昨晚吃了太多松鼠，肚子有点疼。”

沙风转身向育婴室走去，松鸦羽在她身后说：“我已经给过他们水薄荷了。如果他们还需要，就来叫我。”

火星已经爬上高岩。松鸦羽跟上去，非常小心地一直让皮毛贴着岩壁，不敢走到离小路边沿太近的地方去。

“什么事情这么着急，都不能等到早上谈？”火星的声音从岩洞后部的窝里传出来。

松鸦羽走进洞中。“我必须去趟山地。”他宣布说，“我已经收到了召唤。”

“是星族吗？”

“不，是另一只猫。”

“噢？”火星听上去有些好奇。松鸦羽感觉到他仿佛正坐在一缕阳光中。“哪只猫？”

“这……很难解释。”松鸦羽不得不承认。雷族族长会相信他可以与远古猫交谈吗？“但我不能忽视这件事。”

火星恼怒地叹息一声。松鸦羽想象他正在摆动着姜黄色的尾巴。最后，他终于说：“我们不能再去帮助急水部落了。星族知道，我非常同情他们，但他们有他们的生活，我们有我们的生活。”

“这次和帮助急水部落无关。”松鸦羽告诉火星，“而是去挖掘一些过去的事，那些事对我们的未来非常重要。是我们的未来，不是急水部落的。”

“你能说得更清楚一点吗？”火星的爪子抓挠着巢穴地面，“说实话，松鸦羽，你期望我——”

“对不起，火星。”松鸦羽打断他的话，“我已经把我能说的都告诉你了。因为那个预言，你必须相信我。”

“不。”火星语气尖锐，“我之所以相信你，是因为你是忠诚的巫医，把族群的利益看得高于一切。”

松鸦羽深吸一口气：“那我现在作为忠诚的巫医，请求你让我去急水部落，因为我相信这对我们最有利。”

火星沉默了。不过，松鸦羽几乎可以听到族长脑子里思潮涌

动。最后，火星终于说："你需要陪伴。现在我们正准备迎战，我不想在这时让雷族最好的武士和巫医离开。"

尽管族长只字未提黑森林的事，松鸦羽也知道他在想什么。他说得没错！但我必须去！

"你确信这只猫不是在引诱你？"火星又问。

松鸦羽摇摇头："我确信。"岩石是最不可能卷入黑森林阴谋的猫。"我相信向我传递这个信息的猫。"他继续说，"他对我们的战斗毫无兴趣，他不关心谁输谁赢。他只知道这是我们的使命，他必须让这事成为现实。"

"很好。"火星说，"你可以去，我挑选一些武士陪你，但你不能带狮焰去。"

"什么？"松鸦羽的喜悦感立即转化为狂怒，"但狮焰必须去，他是三力量之一！"

"你可以带鸽翅去。"火星毫不妥协地说，"但狮焰必须留在这里，他是我们最宝贵的战斗财富。你们不是去山地打仗的，对吧？"

"那我们怎么知道？"松鸦羽没好气地说。但他很清楚，如果族长已经打定主意，和他争辩是没有意义的。于是，他大声说："好吧。但我不喜欢这样。"

"没谁叫你喜欢。"火星反驳道，"我说过了，你可以带鸽翅，还有……我想想……狐步和松鼠飞。"

"松鼠飞！"松鸦羽不想和那只曾经欺骗过他和哥哥姐姐的猫一起旅行，他们曾一度把她当做自己的母亲。

火星仿佛知道松鸦羽在想什么，低吼道："我不管你对松鼠飞

的过去怎样想。过去的已经过去！她比谁都更熟悉山地，她在急水部落有朋友。”

松鸦羽点点头，叹息道：“好吧，火星。”

“你不在的时候，”火星继续说，“我会让叶池暂时担任巫医，应对紧急情况。如果打仗，我们还需要她那训练有素的脚掌帮助我们。”

火星一提到那只曾经背叛过他和哥哥姐姐的猫，松鸦羽脖子上的毛就竖了起来。哼……叶池做过那样的事之后，星族不会再和她说话的。

但他知道，族群应该充分利用叶池广博的医药知识。因此，他生硬地点点头，回答说：“亮心也接受过一些训练。”

“对，那就这么定了。”火星听上去仍然不高兴。但松鸦羽知道他不会改变已经决定的事情。“你明天就可以出发。”

松鸦羽爬下高岩，狮焰从空地上向他走过来。松鸦羽感觉到他既好奇又兴奋，心里想：你不会喜欢这种安排的。“你还没睡啊？”他大声说。

“我发现厕所通道附近的屏障上有个洞，就去把它补好了。”狮焰解释说。“没什么好担心的。”他又补充说，“有几根树枝松了，没有猫试图进来的迹象。”

松鸦羽点点头。一两个月以前，谁也不会去想是否会有猫试图进入位于领地深处的雷族营地。但现在，族群之间关系紧张，一切皆有可能。

“你和火星谈过了？”狮焰急切地问，“我们什么时候去山地？”

“你不能去了。”松鸦羽答道，准备安抚失望的哥哥。

“什么？”

“对不起，但火星说他需要你留在这里。如果我们与黑森林的猫开战，你是最强壮的武士。”

“但我是三力量之一！”松鸦羽听到哥哥在狂怒地挥舞着爪子，想象着他气愤地竖起金色颈毛的样子，“我当然也该去山地！”

“我也希望你能去，但……嗯，我觉得火星也有道理。”松鸦羽伸出尾巴，拍拍狮焰的肩膀，“如果黑森林进攻我们，你是雷族最好的保护者。”

狮焰哼了一声：“那谁和你一起去？我希望是鸽翅。”

“是的，还有狐步和松鼠飞。”

狮焰沉默了。松鸦羽知道，哥哥很清楚，他不想和那只曾假装是他们母亲的猫一起旅行。但狮焰只是说：“我会对狐步进行一些特别训练。”

“没时间了。”松鸦羽告诉他，“我们早上就出发。”

就在他说话的时候，他突然感到一股寒意。石头山谷里一阵冷风吹过，吹得他眼睛直流泪，背上的毛倒向一边。狂风吹动着石壁顶上的树木，他听到树枝沙沙作响。

“乌云遮蔽月亮……”狮焰低声说。

这是预兆吗？松鸦羽不禁颤抖起来。“我们的时间都不多了。”

松鸦羽走回自己的巢穴。他浑身肌肉酸痛，但他知道现在还不能睡。他先去看了看荆棘光，发现她正蜷缩在窝里呼呼大睡。于是，他向存放药草的岩石缝走去。自从得到岩石的信息之后，他已经收集准备了一些药草,以备不时之需。

“杜松子足够了。”他一边低声念叨着,一边根据气味和手感区分每一种药草。他的库存很少,但至少比上一个月多。“还剩下一些猫薄荷……艾菊有点少……蓍草够多。”他又想起那把被留在营地外的蓍草。他一直不知道是谁把它找来放在那里的。不管是谁,能在落叶季找到蓍草的猫鼻子都很灵。

他仔细挑选出一些大黄、雏菊、洋甘菊和地榆等旅行药草,他和族猫们在路上会需要它们。他又做了四个药包,是早上出发前吃的。然后,他再次查看荆棘光。她还在睡,可能是累坏了,因为做了很多他为她安排的新练习。

他知道出发前他必须休息,这非常重要。因此,他倒进自己窝里,蜷缩起来,用脚掌包住鼻子。但他好像很快又把眼睛睁开了,并意识到自己在星族,正躺在一条小溪边的深草中。溪水从石块上方汩汩流过,倒映着红光。他抬起头,看到天空被染成了猩红色,一轮落日悬挂在天际,发出绚烂的亮光。黄昏正在降临,他周围已笼罩在暮色中,一阵冷风从草丛中吹过,在水面上泛起阵阵涟漪。正当他起身环顾四周时,附近的一丛凤尾蕨摇晃起来,一只猫出现在空地上。松鸦羽仔细打量着那只猫乱糟糟的灰色皮毛和参差不齐的牙齿。

“黄牙。”他招呼她。

“我一直在等你。”黄牙瓮声瓮气地说,“这是怎么回事?怎么突然要去山地了?”

松鸦羽惊讶地抽抽耳朵:“你知道了?岩石也告诉你了吗?”

黄牙厌恶地哼了一声："那家伙和任何猫都不多说话。"

松鸦羽不知道眼前这名雷族前巫医对岩石了解多少。"你觉得我不应该去吗？"

"我觉得这就是个鼠脑子的想法。"黄牙龇牙咧嘴地回答说，"黑森林的势力正在壮大。你应该留在雷族，保护好自己的族猫。"

"但急水部落与所有族群猫的命运紧密相连。"松鸦羽争辩道。

"那不是你的职责。"黄牙呵斥道。

"但万一是呢？"松鸦羽倔强地说。如果黄牙知道他去过远古猫在湖边生活的时代，可能会改变看法。

但她不知道，我也不会告诉她。至少暂时不能告诉她，不能在这里告诉她。

黄牙叹息一声，没再继续和松鸦羽争辩，而是说："走吧，跟我来。"

松鸦羽走到她身边，黄牙领着他沿着小溪边一丛丛浓密的凤尾蕨和药草往前走。松鸦羽呼吸着药草的气味，试图分辨出每一种，满心希望能带一些回去给雷族。

紫草……白屈菜……万寿菊，我那里却只有几片干叶子！

草丛中还有其他猫。他们和那些猫擦肩而过时，那些猫都向他们点头致意。有些猫看上去很强壮，身上的皮毛栩栩如生，仿佛是活猫。其他猫则很苍白，像一团团雾气，好像随时会被微风吹散。松鸦羽看到雷族的狮心和白风正在一丛灌木的阴影中闲聊。一只松鸦羽不认识的漂亮白色母猫和他们在一起，一只幼崽在她脚边嬉戏。他很想停下来和他们说说话，但黄牙只是草草向他们点了下

头，就大步往前走去。

河族前族长钩星正坐在小溪边凝视着溪水。就在松鸦羽看他的空当，他伸出一只脚掌，从水中迅捷地抓起一只闪着银光的鱼。鱼儿无助地在岸上扑腾了几下，就被钩星一口咬死了。

“漂亮。”黄牙说。

“过来吃点？”钩星邀请她。

“过会儿再说吧。”黄牙没有回头。

他们又走了没多远，松鸦羽就看到了风族老巫医青面。当他看到和他在一起的猫是焰尾时，他心里很难过。他们正站在一丛百里香旁边，青面正把什么东西指给焰尾看。

“嗨，松鸦羽，过来！”焰尾喊道。

松鸦羽的脚掌直把他往那两名巫医身边拖，但黄牙却发出一声恼怒的嘶嘶声，他不得不跟上去。“对不起！”他回答焰尾说，“下次吧。”

松鸦羽重新回到黄牙身边时，发现一只灰色公猫正在树林里奔跑。他停下来，看着那只猫。那只猫好像感觉到了他的目光，停下脚步，回过头来，用热烈的蓝眼睛凝视着他。然后，那只猫继续往前跑去，消失在一丛小榛树后面。

“蜡毛！”松鸦羽惊呼道，并迅即转身看着黄牙。他感觉浑身冰凉，一阵寒意直涌到爪尖。“他也在这里？”

“难道不行吗？”老猫的声音很平静，“他唯一的过错是爱得太深。”

松鸦羽不相信地哼了一声：“不是吧？他试图把我们推下悬崖！”

“但他没有。”黄牙指出，“松鼠飞阻止了他。也许她的唯一过错也是爱得太深。”

“你什么意思？”

黄牙耸耸肩：“自己去想吧，鼠脑子。快走，我可没有一整天来陪你。”

松鸦羽暴怒地叹息一声，跟在她后面，沿着一条蜿蜒小径往前走。小路向上延伸，穿过树林，最后把他们带到一座长满青草的小山脚下。黄牙率先跑上山坡，喘着粗气在山顶上等松鸦羽。

“你需要更多的锻炼。”她用脚掌戳了一下松鸦羽说。

“我一晚上都没睡。”松鸦羽辩解道，“星族猫可能不会累，但我会。我们究竟到这里来干什么呀？”

“看看。”黄牙摆动尾巴，指着山下的风景。

松鸦羽从山顶上眺望远处。星族的森林看上去宽广美丽，点缀着片片空地和颜色较浅的树木，一条波光粼粼的小河从中间流过。有猫在浅水中玩耍，溅起团团飞沫和点点水珠。松鸦羽认出了河族猫的强壮身体和光滑皮毛。

过了一会儿，黄牙急不可耐地问：“很美吧？”

“是的。”松鸦羽低声回答。

老巫医走到他身旁，和他皮毛相擦。“这一切都取决于你，松鸦羽。”她说，“你现在不仅在保护雷族，还要保护所有族群，包括星族。”

我？松鸦羽很想像幼崽一样大声喊叫出来，但他只是迫使自己一动不动地站在那里，看着眼前和平安宁的景色。“原来你不想让我去山地，是因为害怕族群猫发生不测。”

老猫点点头，粗声粗气地说："有时，正确的选择是最难的选择。"

一幕幕场景从松鸦羽脑海中掠过，他意识到自己看到了黄牙的记忆：年轻的黄毛正在给一只深棕色幼崽哺乳；那只幼崽已经长成学徒，正和一只年轻的黑色母猫鏖战；然后，小猫完全长大，体格健壮，嘴里叼着一只惊恐万分、喵喵直叫的幼崽从凤尾蕨中走过；那只猫现在有点老了，正蹲伏在一道荆棘屏障前，他那双疤痕累累的眼睛是瞎的，年轻得多的尘毛正在守着他。最后一幕中出现的是黄牙自己，她正看着那只深色公猫，她的一只脚掌里夹着一枚猩红色的死亡浆果。

松鸦羽颤抖起来，黄牙的生活如此艰辛，但她一直在勇敢地面对。

"对不起。"他轻声说，"我知道你的感受，但我必须去山地。这是正确的选择。我发誓，我会回来的。"

黄牙没回答，只是用难过的眼神看着松鸦羽。然后，她渐渐从他的视野中消失。她的灰色身影好像融入到一个巨大的阴影中，成为星族森林上空最后一缕光线。黑暗吞没了松鸦羽的视线，他眨巴着睁开眼睛，发现正在自己巢穴里。他窝里的一簇凤尾蕨叶把他的鼻子挠得直痒痒。

松鸦羽打了个喷嚏，坐起来。黎明的微风吹动着他的皮毛，他听到早起的猫儿们已经在空地周围活动了。荆棘光也在窝里蠕动。松鸦羽站起来，向她走去。

"我好累哦。"她打了个巨大的哈欠，"我今天也必须做练习吗？"

"当然。一天都不能停！"

“好吧。”荆棘光有些吃惊，可能没想到他的语气会这么强烈，“我先清醒一下，活动下筋骨。”

松鸦羽听到她从窝里爬起来，开始梳理皮毛。“荆棘光，我有些事要告诉你。”他轻柔地说，“我必须离开一段时间。”

“不要！”荆棘光停止梳理皮毛，她听上去很害怕，“你不能离开！”

“我必须走。”松鸦羽重复道，“但我不会走太久，我保证。亮心和米莉会好好照顾你的。”

“那不一样。”荆棘光嘀咕道，“万一……”

她的声音越来越小。松鸦羽非常了解她，知道她非常害怕，不敢多问什么。于是，他坦率地说：“如果我认为你会死，我不会离开的。”

他感觉到荆棘光放松了一点。“所以你才让我做这些新练习？”她嘀咕道，“我会做的，我保证。”

“好。”松鸦羽用鼻子碰碰她的耳朵，“你看，我已经做好四个旅行药包，就在放库存药草的岩缝口。我让其他猫进来时，你告诉他们药包在哪里。”

“好的。”

说罢，松鸦羽让荆棘光开始做练习，他自己则从黑莓藤边走过，来到空地。梅花落正从他身边跑过，去加入巡逻队，松鸦羽用尾巴拦住她。

“你看到狐步了吗？”

“看到了，他还在武士巢穴里。”年轻玳瑁色母猫回答，“睡得像头死獾。他不参加黎明巡逻。”

“帮我把他叫来，可以吗？”

“但我——”梅花落本想抗议，但又叹口气说，“好吧。”

松鸦羽听到她跑走了。不一会儿，狐步就打着哈欠向他走来。“什么事，松鸦羽？昨晚参加森林大会回来那么晚，我本来想补个觉的。”

是啊，那倒是不错。“你要去旅行。”松鸦羽宣布说。

“旅行？”狐步这下完全醒了，“去哪里？”

“山地。”

“真的吗？我？”狐步兴奋得连声音都颤抖起来，还期待地跳了一下，“你的意思是说，我要和经历过大迁徙的猫一样，见到急水部落的猫了？哇噻！我发誓会保护你的，松鸦羽。我会成为你能想象的最棒的武士。我会整晚警戒——”

“不需要那样。”松鸦羽嘀咕道，开心地从喉咙里发出很小的咕噜声，“我已经做好几个旅行药包，在我巢穴里。”他补充道：“荆棘光会告诉你在哪里。”

“你的意思是说，我们马上就要出发了？”狐步听上去好像已经兴奋得不能自持了。松鸦羽点点头，狐步连忙向巫医巢穴跑去。

族长的气味扑鼻而来，火星走了过来。“我看到你已经告诉狐步了。”他说，“松鼠飞和鸽翅呢？”

“我还没看到她们。”

火星停下脚步，然后大声喊道：“嗨，松鼠飞！到这里来一下。”

“我正要带黎明巡逻队出去呢。”松鼠飞的声音从荆棘屏障的方向传过来。

“不，你不用带了。”火星说。

“这是怎么回事啊？”松鼠飞走过来。

“松鸦羽收到了征兆。”火星开口说。他解释说想让她陪松鸦羽去山地。

“太好了！”松鼠飞热情高涨，“火星，我会很高兴率领远征队的。我可以趁机看望我在急水部落的朋友们。我已经迫不及待地想见到暴毛和溪儿了！”

谁说过让你率领远征队啊？松鸦羽心里想。但是，他没把他的想法大声说出来。松鼠飞是被选中的猫中年龄最大的，而且对山地最熟悉，她率领远征队合情合理。

“还有谁要去？”松鼠飞问，“我想有狮焰，还有——”

“不，狮焰留在这里。”火星打断她的话，“你们不需要他，因为你们又不是去打仗。松鸦羽没有从征兆中看出任何你们可能遇到麻烦的迹象。”

“唔……”松鼠飞听上去很吃惊，而且不大高兴，“我猜，你是最清楚的。但我觉得你不会只让松鸦羽和我去那么远的地方吧？”

“当然不会。”火星告诉她，“狐步和你们一起去，还有鸽翅。”

“什么？我？”

一声兴奋的尖叫在松鸦羽身后响起，把他惊得一跳。更多的猫正向他们这边走来，想听听他们在说什么。他刚才没注意到鸽翅也过来了。现在，他转过身，迅速向她解释了他和火星商定的事。

“太酷了！”鸽翅欢呼道，“我听到过很多山地的故事。现在，我真的要去那里了！藤池也要去吗？”

“不。”松鸦羽说。伟大的星族啊，谁都认为这姐妹俩是连在一起的！

“为什么不去？”鸽翅凑到他耳边说，“你不信任她吗？”

“根本不是这个问题。”松鸦羽咬着牙齿回答说，“我们现在不能当着大家的面讨论这个问题。我们四个去。就这么简单。”

“好吧。”由于失望，鸽翅听上去很难过。

“走吧。”松鸦羽轻快地说，“我为大家准备了旅行药草，我们去吃点。”

“你的意思是说，我们现在就走？”松鼠飞惊讶地问。

“不能再等了。”火星说。

他的话音未落，黑莓掌的声音就传了过来。副族长正向他们跑过来。“嘿，松鼠飞！鸽翅！你们为什么没参加巡逻队？为什么大家都站在这里？”

松鼠飞回答说：“火星要派我们去山地。松鸦羽收到征兆了。”

“是这样。”黑莓掌的声音很平静，“火星，希望你不要派太多的猫去。这里需要更多的武士。”

“不，只有这三只猫和狐步。”火星答道。

“黑莓掌，你有什么口信要带给急水部落吗？”松鼠飞迟疑地问，“我会代你向暴毛和溪儿问好的。”

松鸦羽从她话里听出了其他意思，是她不敢大声说出来的意思。她想让黑莓掌祝她好运，或者让她路上小心……总之说点表明他还在乎她的话。

但黑莓掌只是说：“当然有，告诉他们雷族想念他们。”

松鸦羽几乎可以闻出松鼠飞的失望。黑莓掌好像什么也没感觉到。他已经忘了他曾经以为自己是我们的父亲吗?

又有几只猫过来围在他们身边,兴奋地问这问那。黎明巡逻队已经离开,更多的武士从武士巢穴外的树枝中钻出来。

“怎么这么吵啊? ”尘毛愤怒地吼道,“你们就不能让我好好睡一觉吗? ”

“去山地? ”这是炭心的声音,充满渴望,“哦,我要是能去就好了。可惜我只能想象了……光秃秃的山峰,无边无际的蓝天,老鹰在空中盘旋,小得像斑点一样;水又冷又清……”

松鸦羽眨眨眼,想象着她描绘出的画面。炭心当然见过这样的风景,他想,只不过她不知道她是在回忆。

“我记得曾和急水部落一起捕猎。”云尾说,“那是在大迁徙途中,我们路过那里。我好想再去抓老鹰哦。”

“我也是。”沙风附和道,“狮焰,你运气真好! ”

“我不去。”狮焰回答说,他听上去仍然很不高兴,“火星想让我留在这里,帮助保卫营地。”

“哦,真可惜。”沙风同情地说。

狐步走到猫群中时,松鸦羽皱皱鼻子,嗅出了药草的气味。狐步一遍又一遍地用舌头舔着下巴,抱怨说:“旅行药草为什么这么难吃啊? ”

突然,一只脚掌戳戳松鸦羽的肩膀,把他吓了一跳,他闻到了波弟的气味。“你们又要去旅行了,小猫们。”老独行猫瓮声瓮气地说,“真希望我能和你们一起回去看看我的老家。”

松鸦羽紧张起来。不要啊，星族，求求你们！

波弟打趣地喷了个鼻息。“别露出那副惊讶的样子，我这几只老脚掌走不了那么远了。不过，我可以告诉你们一两件事——”

“波弟，没时间了。”松鸦羽打断他的话，“我们马上就出发了。”

“哦。”波弟迟疑片刻，又补充说，“嗯，你们不要在那个农场停留，就是你哥哥姐姐和那名讨厌的风族学徒遭遇狗的地方。”

“好的，波弟，别担心。”松鸦羽安慰他说。然后，他又凑到波弟身边，压低声音说：“我不在的时候，照顾好鼠毛。”

“没问题。”松鸦羽听出了波弟声音里的豪气，“你就放心吧。”

松鸦羽用尾巴招呼鸽翅和松鼠飞，领着她们走向自己的巢穴，把旅行药草给她们。他舔食药草时，心里突然疑惑起来。

我把这些猫带去山地，让雷族更加脆弱，这样做对吗？我真的可以相信岩石吗？

第八章

狮焰率领捕猎队走出荆棘通道，向旧雷鬼路走去。炭心、桦落和叶池跟在他后面不远处。黎明的雾霭已经散去，片片蓝天正从树林上方露出脸来。微风吹拂着狮焰的脸，吹来猎物的气味，但他发现自己很难把注意力集中到捕猎上。松鸦羽这么快就离开了，他还没回过神来。而且他竟然没被选中去山地，心里还在生闷气。

“不知道松鸦羽为什么要去山地。”桦落说着走到狮焰身边，“他告诉你了吗？”

“他收到征兆了。”狮焰嘟哝道，“别忘了，他是巫医。”

“要是我能去就好了。”桦落向往地说，“大迁徙时，我还是幼崽。但那太让我兴奋了！我现在是武士了，好想回那里去看看。”

“我猜，大多数族猫都有同感。”炭心走过来说，“我自己就想去看看，尽管我没参加过大迁徙。”

“有些悬崖一直向下延伸。”桦落小声说，一副神往的样子，“那风几乎会把你的毛吹掉，还有我见过的最大的鸟……”

你还是别再说了吧，狮焰想。“我们的话太多了，现在是寻找猎物的时候。”他提醒大家。透过光秃秃的树林，大家已经可以看到那

座废弃两脚兽巢穴的墙壁了。“桦落，我们分开捕猎吧。你和叶池一组，我和炭心一组。”

他心里感到一阵难过：如果每天早上都能和炭心并肩进行黎明巡逻就好了；就这样过完一生，直到我们去星族捕猎。

桦落和叶池向湖泊的方向走去，狮焰走进两脚兽巢穴后面的树林中。

他们走到松树林边时，炭心说：“你一定在担心松鸦羽吧。不过你也一定还记得那个预言，他不会有事的，他对族群猫的命运太重要了。”

狮焰不想别人提起那个预言的事，尤其不想炭心提起，因为那正是他们之间的隔阂所在。“松鸦羽是只普通猫。”尽管他知道这不是事实，仍然辩解说，“和我一样。”

“但你不是普通猫，你们都不是！”炭心抗议道，“你们都与众不同。”

狮焰把爪子插进泥土中，愤怒令身上的每块肌肉都鼓了起来。“你为什么就不能越过那个愚蠢的预言，看看真实的我呢？”他对炭心吼道，“你以前就是那样看我的，现在有什么变化了吗？”

“一切都变了。”炭心回答，但她声音里充满自豪和兴奋，“我以前看到的根本不是真实的你。预言就是你的一部分，你还没出生，它就存在了！”

她听上去好像一点不后悔我们不能再在一起了。“那你呢？”狮焰喊道，“你也在乎这个吗？”

“当然。”她的兴奋渐渐消失，狮焰开始感觉到隐藏在她话中的

痛苦了，“相信我，我非常希望你不是这个预言的一部分。但你是，因此，我们只好接受这个事实。”

“但——”狮焰试图插话，但炭心继续往下说。

“你不能在担忧伴侣和幼崽的同时率领族猫上战场。你就像巫医一样，你的忠诚是对全族群的，每一只猫的。”

“任何武士都是这样的呀。”狮焰反驳道。

“不一样，因为你是三力量之一。”炭心伸出尾巴，仿佛想拍拍他的肩膀。但很快又把尾巴缩回去了。“事情就是这样。”她突然转身走开，“我们还是捕猎吧。”

狮焰无助地凝视着她的背影，他有满肚子的话想对她说，但却说不出来。炭心已经发现一只黑鸟，摆出捕猎姿势，滑动脚步向黑鸟靠近。狮焰只好强忍叹息，向黑鸟的另一边走去，小心地不发出任何一点声响。黑鸟正在一棵树下的苔藓中啄食，全然不知有两只猫正在向它靠近。炭心走到离黑鸟只有两条尾巴的距离时，狮焰号叫一声，黑鸟惊恐地拍打翅膀飞起来，正好撞进炭心爪下。炭心一掌向它打去，又一口咬住了它的脖子。

狮焰走过去，看到炭心正用一只脚掌轻轻拍着黑鸟瘫软的身体。她的爪子没伸出来。“是只雌鸟。”她柔声说，“你瞧，她喙上有苔藓，她一定在采集苔藓做窝。现在，她的蛋永远产不出来了，她永远不能回到伴侣身边去了。”

狮焰眨眨眼，不明白这名武士为何会对一只新鲜猎物如此伤感。他鼓励地说：“你抓得很漂亮。”

“问题不在这里。”炭心仍然低头看着那只死鸟。“我一直想要

一切都变了。
你以前就是那样看我的。
现在有什么变化了吗？
那你呢？
你也在乎这个吗？
当然。

现在，她的蛋永
远产不出来了。
她永远不能回到伴
侣身边去了。

你抓得很漂亮。

我一直想要个伴侣，生几只幼崽。

个伴侣，生几只幼崽。"她耳语般地说，"可惜那不是我的命运。我注定永远无法得到伴侣的温存……永远不能哺育幼崽……"

"你能找到别的伴侣的。"狮焰说。他竭力安慰炭心，但自己的心却在绞痛。"你仍然可以生幼崽的。"

炭心猛地转身看着他，她那双蓝眼睛里喷着怒火。"你不明白！"她怒喝道，同时用后掌挖着泥土，将黑鸟埋下。"我独自去捕猎！"她没等狮焰回答，便向树林里冲去。

狮焰困惑地看着她的背影。这是怎么啦？他从眼角的余光里觉察到有动静，他转过头去，看到叶池正向他走过来。她听到了多少？

"你没事吧？"叶池走过来，柔声问。

狮焰很茫然，也不想搅动起心里对她的怨恨，因此承认道："没事，和炭心发生了点不愉快。"

叶池点点头。幸好，她没让狮焰解释原因。他知道自己也不可能向她说起预言的事。

"我们还是到湖边去寻找猎物吧。"她建议道，转身向那个方向走去，还摇摇尾巴，示意狮焰跟上。

狮焰惊讶地发现，自己竟然向她身边走去。他们并肩走出小树林，来到水边。水的气味更浓了。

过了一会儿，他说："炭心好像认为我们的命运不同。我不明白她什么意思。"

"我想我明白。"叶池同情地眨眨眼说，"而且，我真的相信她爱过你。事实上，她现在还在爱着你。"

狮焰沮丧地抓挠着一根伸在小路上的黑莓藤。"那她为什么不

和我在一起呢？她为什么要把一切弄得这么复杂？”

叶池摇摇头，但没回答他。他们默默向前走了一阵。当他们走到一条蜿蜒通向湖边的小路上时，叶池停下脚步，嗅嗅空气。狮焰以为她闻到猎物了，却看到她拔腿向一丛黑莓藤边冲过去，弄出很大的声响。他不由得皱皱眉头。

你这样是抓不到猎物的！

但叶池正用一只脚掌把地上的枯叶刨到一边，三朵亮黄色的款冬花露了出来。“第一次在这个季节看到它们！”她欣喜地叫道，“我最好把它们带回营地，它们对治疗鼠毛的咳嗽很有用。”

叶池小心翼翼地把款冬花掐下来。狮焰问：“你还想当巫医吗？”

“时刻都在想。”她低声说。

“那就是你的命运吗？”狮焰急不可耐地说，话语争先恐后从他嘴里冒出来，“我的意思是说，如果你注定要当巫医，那你就不该……不该和鸦羽……”

叶池低下头。“命运并不是每只猫盲目追随的一条路，它需要你作出选择。有时，心声让你无法抗拒。”她顿了顿，又补充说，“我心底深处一直知道自己该做什么，所以我才回到雷族。狮焰，无论发生别的什么事，我都相信，你知道什么才是正确的选择。听从心声吧，因为那里就是你真正的命运所在。”

第九章

鸽翅跟在松鼠飞后面走过马场，往小山上爬。她从没到过这里，兴奋得皮毛发麻。各种新的知觉从四面八方挤进她的大脑：马的气味，还有这种庞然大物在自己领地上慢跑时发出的嗒嗒声；从河族领地上吹来的风里有浓烈的河族气味；还有湖边沼泽地里的芦苇和死水的气味。

"太酷了！"她向松鸦羽欢呼道。松鸦羽走在她旁边。尽管他的眼睛看不见，他的脚步却一直准确无误。听到鸽翅的话，他只是很轻地"嗯"了一声，并抽了一下耳朵。

还是老样子！鸽翅不高兴地想。她又转头去看狐步，他正瞪大眼睛，好奇地打量着四周。

"这上面可以看到很多东西！"他说。

鸽翅放慢脚步，和他并排往前走。"从这里看小岛真的好漂亮。"她说，还摆动尾巴指向下面很远处召开森林大会的地方。从这样远的地方看去，树桥就像一根很小的树枝。

狐步用耳朵指着小岛另一边湖岸上黑压压的松树林，说："那里是影族领地。"

鸽翅将自己的意识发送出去,直到找到影族营地。黑星和副族长花楸掌正聊得火热。小云在他自己巢穴里,低声数着他的杜松子。

如果我告诉狐步我能从这里看到什么,他会怎么说?

“那是河族。”鸽翅大声说,“可以看到他们的营地,就在那里,两条河之间。”

“真糟糕,树和灌木太多了。”狐步顽皮地笑着回答,“不然,我们可以从这里监视他们!”

谢谢,无论是否有树,我都能看清楚他们。鸽翅看到鱼尾正在给学徒上捕鱼课。“不对,苔爪,坐的时候要让影子拖在你身后,而不是延伸到水面上去。”

“风族营地在那里。”鸽翅对狐步说,并用尾巴指着他们另一边那片高沼地,“在一个洼地里,但从这里看不到。”

“我忘记了,你去过那里。”狐步声音里有一丝嫉妒,“可怕吗?”

“很可怕。”鸽翅承认道,“我不应该——”

她没再说下去,她的毛已经开始竖起来,因为她耳朵里响起一声悲痛的哀鸣。她疯狂地往四处看,以为是远征队成员被狐狸抓住了,但松鼠飞和松鸦羽都默默走在前头几尾远的地方。狐步正盯着她,以为她发疯了。

尖叫声还在持续。“蚁毛!不要!”

鸽翅愣住了。可怕的悲鸣声听上去很近,但实际是从风族营地传来的。

然后,她听到了隼飞的声音。“再给我蜘蛛网。”她看到血正从蚁毛伤口中喷涌出来,感觉到年轻公猫的体温正在上升。

“隼飞，快想办法啊！”鸽翅听出这是燕尾的声音，她以前见过这只正在哭喊的猫，“你不能让他死。”

“我正在竭尽全力。”巫医嘶声说道，“我已经给他用了木贼草和琉璃苣，但我没法让感染停止扩散。”

“那就再给他用点吧！”

鸽翅听到一只猫正把琉璃苣叶嚼成浆，喂到蚁毛嘴里。但那名奄奄一息的武士已经虚弱得无法咽下东西了。

“噢，星族啊！”这次是一星的声音，低沉悲痛，“这只猫还很年轻，你们非要现在就把他带走吗？”

“我到现在还不知道他为什么会伤成这样。”鸽翅不知道这是哪只猫在说话。也许是裂耳，我在森林大会上听到过他的声音。“我原来以为是狗咬的，但巡逻队都没在领地上看到过狗。”

“我知道。”鸽翅听出这是另一名长老网脚的声音，“这些伤与我看到过的任何狗咬的伤口都不一样，我觉得他更像是受到了猫的袭击。”

裂耳厌恶地喷了个鼻息。“那不可能！如果是泼皮猫，他会说的。”

“蚁毛……”燕尾抽泣着说。鸽翅记得在一次森林大会上看到过她和蚁毛在一起，估计他们曾经是伴侣。“蚁毛，求求你不要……”

“没用了。”隼飞垂头丧气地说，“他现在已经和星族一起捕猎了。”

燕尾又发出一声悲痛的哀鸣，但好像与背景中的声音混到了一起。鸽翅听到了另一只猫的声音，而且清楚得多。

“日光、荆豆爪，过来。”是风皮的声音，很低。他警告说：“黑森

林的事一个字也不准说。蚁毛在这里可能已经死了，但他还在无星之地。一切都没改变，他还在我们一边。”

藤池！鸽翅吓得浑身颤抖起来。有族群猫正在死去，而且与黑森林发生的事有关！我应该回雷族去，把蚁毛的事告诉她吗？

“鸽翅！”

松鼠飞的一声呼唤，把她拉回到现实中。姜黄色母猫正站在山坡上回头看着鸽翅，她那双绿眼睛看上去有些恼怒。松鸦羽站在她旁边，正不耐烦地扯着地上的草。

“你掉队了！”松鼠飞责骂道，“走快点！”

“对不起！来了！”鸽翅回答说，并强迫自己迈动脚掌。她讨厌这种感觉，仿佛她正任由黑森林伤害族群猫似的。但她没有任何办法帮助蚁毛，她只能祈祷藤池会当心一些。妹妹不蠢，她很快就会知道，蚁毛是因为伤势过重才死的。鸽翅故意关闭意识，不愿意再听到风族营地里传来的任何声音。

他们继续往山上爬，狐步走到她旁边，安慰她说：“我们现在离家这么远，受到惊吓也不足为奇。别担心，我会照顾你的。”

我能照顾自己，谢谢！鸽翅差点没把这些话大声吼出来。但我不能告诉他这是怎么回事。

蚁毛的死让鸽翅惊魂未定。快要爬上小山顶时，她还在颤抖。松鸦羽还在她下面几只狐狸身长远的地方，不小心被一块石头绊了一下。松鼠飞立即出现在他身旁，伸出一只脚掌稳住他。

松鸦羽转过头，怒声对她说：“我不需要你的帮助！”

松鼠飞气得一甩尾巴。“好！旅行还没开始，你就先把脚扭伤吧。”她又压低声音补充说，“这没什么好害臊的，视力好的猫也会摔跤。”

松鸦羽恼怒地低吼一声，向山顶冲去。

鸽翅走完最后几步，爬上山脊，立即感觉劲风吹动着她的皮毛。身后，湖泊看上去很小很远，不同族群的领地互相交错；前面，向下延伸的斜坡上，生长着浓密的森林；远处，一片片宽阔的草地上，雷鬼路穿行其间。无论她往哪里看，都能看到两脚兽巢穴，有些孤零零地立在那里，有些和其他的挤在一起。

那些挤在一起的巢穴一定是两脚兽的营地。

鸽翅和族猫们站成一排。风从他们耳边呼啸而过，将他们的毛吹得紧贴在身上。突然，一连串刺耳嘈杂的声音如潮水般冲击着她的耳膜，差点将她从山顶上掀翻下去。一个个杂乱的画面出现在她眼前，她僵住了，用脚掌紧紧抓住地面，想弄清楚自己看到和听到的究竟是什么。但坚实的山顶好像在她脚掌下融化了，她被卷入一场由声音和颜色组成的暴风雪之中。

一只闪着红光的怪物低吼着，从一座平顶两脚兽巢穴里冲出来；两脚兽幼崽大声尖叫着跑来跑去；一只她从没见过的、黑白相间的巨大动物睁着水汪汪的眼睛凝视着它，还有节奏地移动着脚掌；一只雄性两脚兽将一只嗷嗷叫的微型怪物推过一片草地，那小怪物正啃噬着草茎；很多狗在同时狂吠，比她所想象的狗多多了；什么地方还有哗哗的流水声；鸦食的气味直冲鼻孔……

鸽翅觉得头晕目眩，恶心极了，紧紧闭着眼睛。但那些画面仍

在不断涌现。

“鸽翅！鸽翅！”狐步的声音从混乱中传来，听上去很微弱。

鸽翅无法动弹，她想回答狐步，却说不出话来。然后，她渐渐感觉到，还有一只猫正站在她身边，和她靠得很近。

“鸽翅！”是松鸦羽的声音，不大，但很尖锐，“把注意力集中到我身上，把其他声音都屏蔽出去。”

“不行——”鸽翅非常吃力地说出这两个字。

“不，你行。来吧——集中注意力。”

他的声音很刺耳，像冰水的泼溅声。鸽翅慢慢将自己的意识一点点收回来。然后，她壮着胆子把眼睛睁开一条缝，看到眼前松鸦羽的模糊身影。

“好点了。”她现在能更清楚地听到他的声音了。“再集中一点，别放弃。”

鸽翅仍然觉得头很痛，但她能重新感觉到脚掌下的地面，能看到同伴们了。松鼠飞和狐步正惊慌不安地盯着她。

狐步用尾巴轻轻抚摸着她的侧腹，小声说：“没事了。”

“你能继续走吗？”松鼠飞直截了当地问，“如果不能，告诉我们，现在回去还来得及。”

鸽翅仍然无法抑制地颤抖着。她猜，在湖边时，小山阻隔了外面的世界，让她的特殊意识不会受到它们的干扰。现在却没有任何东西可以保护她。因此，她必须学会自我保护。脑袋里那个咆哮的声音好像试图增大，但她把它压回去了。她深吸一口气，转头看着松鼠飞，竭力让自己的声音平静下来，然后说：“我没事，我能行。”

松鼠飞严肃地看了她一眼，然后点点头："好吧，我们走。"她率先踏上下山的路，走进树林。

狐步走到鸽翅身边，和她皮毛相擦，并小声说："你跟着我走，没什么好怕的。"

鸽翅还在颤抖，没有力气对他发火。真是的，狐步竟然以为她是因为离开熟悉的领地而被吓坏了。

他们走到树林边时，松鸦羽示意鸽翅停下脚步，让狐步独自往前走。然后，他凑到鸽翅耳边，悄悄说："你刚才看到山地猫了吗？"

她摇摇头："好像没看到。"

松鸦羽沮丧地喷了个鼻息。鸽翅感到更内疚了：我刚才应该尽力发现一些对这次远征有用的东西的。

她越往树林深处走，不安的感觉渐渐被她抛在身后。她已经慢慢习惯了屏蔽喷涌的意识流，而且四周的树木好像也遮蔽了一些困扰她的杂音。这片树林很像雷族领地，她开始有了家的感觉，甚至喜欢上这次旅行了。

他们走到一条很浅的小溪边时，狐步挑战她说："我打赌，你不敢从那上面跳过去！"

"我当然敢！"鸽翅不服气地喵道。她冲到岸边，一跃而起，四脚稳稳落在小溪对岸潮湿的苔藓中。

狐步跟在她后面跳起来。但他起跳时，一只脚掌滑了一下，结果落下时，腰臀部落在了小溪中，双腿和腹毛上溅满水珠。

"笨毛球！"鸽翅喊道，喉咙里还发出咕噜咕噜的笑声。

狐步把自己拖上岸，抖落红色虎斑皮毛上的水珠。"我要让你

见识下谁才是笨毛球！”他说着朝鸽翅追去。

鸽翅兴奋地尖叫一声，拔腿就跑，躲进一根柳树垂下的树枝间。狐步冲过去，绕着树干追着她跑，还用前掌去打她的尾巴，但没把爪子伸出来。

“真是的！你们还是幼崽吗？”松鼠飞的声音从垂柳那边传过来。

“哎呀！对不起！”鸽翅和狐步惭愧地对望一眼。她从柳枝间探出头，看到松鼠飞正站在几条尾巴远处，尾巴尖抽动着。

松鼠飞翻了个白眼。“我们还有很长的路要走。”她说，但她看上去并不像鸽翅预想的那样生气，“你们必须保存体力。现在我们先去捕猎，然后休息会儿。”

“但我还不想睡！”狐步把脑袋从鸽翅旁边的柳枝中伸出来表示抗议，“我可以一直跑下去。”

松鼠飞没理他，而是长叹一声，大步走开了。鸽翅小心翼翼地把她的意识发送出去，发现她刚刚跳过的小溪边有一只野鼠。她尽可能轻地放下脚掌，仿佛树叶落下一般。然后，她慢慢向野鼠爬去。它不知道我在这里，她想，这些树林里的猎物对狩猎猫还不熟悉。

快爬到小溪边时，她往前一扑，然后站起身，那只野鼠已经在她牙齿间。她环顾四周，发现松鸦羽正坐在上游不远处的岸上。她走过去，把野鼠放在他脚边，说：“吃吧，我可以轻而易举地再抓到一只。”

“谢谢。我们得谈谈。”

鸽翅点点头，然后又想起松鸦羽看不见。“好的。等我再找些猎物。”

没过多久,她又发现一只画眉正在一棵山毛榉下的地上啄食。这次比抓野鼠稍难一点。她滑动脚步从树林里走过去,机警地不碰到任何草叶,或者踩上任何树叶,以免暴露自己。走到离画眉只有一只狐狸身长那么远时,她猛地伸出两只前掌按住画眉,并迅速将其脖子咬断。

当她向松鸦羽走去时, 发现松鼠飞和狐步正在附近分享一只松鼠。鸽翅从他们旁边走过,在松鸦羽身边坐下,饥肠辘辘地咬下一口新鲜猎物,边嚼边说:"你有什么要说的? "

松鸦羽正在以很快的速度小口吃着那只野鼠。他吞下嘴里的新鲜猎物,回答说:"你得把你的意识发送到前面去,尽快发现山地猫。"

"我知道。"鸽翅心里很气愤,不得不竭力控制自己,才没狂甩尾巴,"松鸦羽,给我一次机会吧。我需要时间先熟悉现在这种处境。"

松鸦羽嘟哝道:"但不要用太长时间。"

讨厌的毛球,鸽翅想。她吃完画眉,蜷缩起来小憩。然后,她又提醒自己说,这次远征的重任都落在松鸦羽那瘦骨嶙峋的肩膀上,难怪他会不耐烦。我必须尽最大努力,她默默发誓。

她再次发送出意识,探测树林:鸟儿们在草丛中觅食;两只狐狸在洞穴里睡觉,但愿它们睡得很死。小溪流到林地远处时,变得更宽了,流到树林边时,小溪中还出现了很多小水坑,里面的水够深,应该有鱼。

这里真好,要是藤池在这里就好了。她困倦地想,渐渐进入了梦乡。

好像只过了几个心跳的时间，松鼠飞就用一只脚掌戳着她的腰喊道："起来，该走了。"

鸽翅爬起来，眨眨眼，驱除睡意。尽管天空看上去黑沉沉的，她猜时间也就刚过正午。狐步正弓着背伸懒腰，松鸦羽在一旁等着，正不耐烦地用脚爪撕扯着草叶。

松鼠飞带领他们顺着小溪前行，向树林的另一边走去。走出树林之后，出现在他们眼前的是一道弯弯曲曲的边界线，由黑莓藤和榛树灌木构成。边界线那边是一道尘土飞扬的斜坡，斜坡下是一道山谷。鸽翅看到远处有两脚兽巢穴，急忙关闭自己的意识，以免受到两脚兽的喧闹声干扰。山谷那边有更多小山，山上长满树木。小山的那边是高耸入云的山峰，灰蒙蒙的。刚开始时，鸽翅还以为自己看到的是某种奇怪的云，直到松鼠飞用尾巴指着它们说："看，山地。"

"我们就是要去那里吗？"狐步的声音里既有兴奋也有担忧，"它们好大呀！"

而且我们还必须爬上去吗？鸽翅没有说出来——她不想让松鼠飞认为她又害怕了——但她突然觉得自己好渺小。

"我们上次来的时候，就是在这里过夜的。"松鼠飞望望天空说，"但我觉得我们还能再走一会儿。"因此，她又带头走上下坡路，向山谷中走去。几匹马在啃噬着稀疏的草茎。它们比鸽翅在马场看到过的马个头小些，毛发也乱糟糟的。它们站在一棵树下，摆动着尾巴，好奇地看着猫儿们。但让鸽翅欣慰的是，它们都没向猫走过来。

马儿不远处是一座孤零零的两脚兽巢穴，四周围着一道灰色

石墙。远征队从它旁边经过时，一声狂怒的嘶鸣声从他们头顶的墙头上传来。鸽翅抬头望去，看到一只肥胖的姜黄色宠物猫正弓着背，浑身的毛都竖了起来。

“出去！”他怒吼道，“这是我的地盘！”

“噢，真的吗？”狐步转身看着宠物猫，准备跳上墙头，“你想证明一下吗，宠物猫？”

“不要！”松鼠飞急忙站到狐步面前，“别激动，我们不是来找麻烦的。”

“但这是只宠物猫！”狐步抗议道，“我一掌就能把他打翻！”

“上来试试！”那只宠物猫低声吼道，“这里没你们的事，癞皮猫！”

“你能容忍他这样对我们说话吗？”狐步狂怒地问。

松鸦羽回答说：“用一下你与生俱来的意识吧，狐步。如果你受伤了，我在这里能帮你做什么？我们知道最近的蜘蛛网在哪里吗？我能在你流血至死前找到木贼吗？”

“但——”狐步还在怒视着那只宠物猫。

“别理他，我们走，马上走。”松鼠飞狂甩着尾巴，示意狐步跟上，年轻武士只得遵命。不过，他仍然恶狠狠地瞪了那只宠物猫一眼才转头走开，鸽翅走在最后。

“胆小鬼！”宠物猫在他们身后尖声喊道，“滚吧！永远不要再来！”

他们走到听不见宠物猫声音的地方时，鸽翅才松了口气。但松鸦羽转过头来，说了一句话，她的欣慰立马烟消云散。

“你刚才要是能早点警告我们就好了。”他压低声音说。

“什么？”鸽翅简直不敢相信自己的耳朵。他是在因为遭遇宠物

猫而责怪她吗?“我又不知道这地方有宠物猫。”她辩解道,“我不能老是去听前头有什么呀,我还必须看着脚下的路!”

巫医恼怒地低吼一声,生起闷气来。

“如果你希望有猫前去侦察,我去吧。”狐步自告奋勇地说。

“那好啊。”松鼠飞嘲讽地说,“不过等我们找到你时,你一定正在打架。还是算了吧,谢谢。”

“其实我不会那样的。”狐步保证说。

“还是算了吧。”松鼠飞的声音听上去温和了些,“我相信你能服从命令,狐步,但我们最好还是待在一起。”

远征队继续往前走。不一会儿,一道树篱拦住小路,光秃秃的灰色荆棘灌木交织在一起,灌木下是缠结的深草。

“我们从这里过去。”松鼠飞指示道,“然后走过那片地。但要一直沿着树篱走,这样更安全。”

松鸦羽嘟哝着表示同意。“我们已经快到狮焰和冬青叶上次遭遇狗的农场了。”他说,“大家密切注意。”他说完还瞪了鸽翅一眼。

松鼠飞带领大家顺着树篱往前走,一直走到灌木中间有个缺口的地方。那缺口很大,一只猫完全可以从里面挤过去。

“鸽翅,你先过。”松鸦羽命令道。

“松鸦羽,谁是远征队队长啊?”松鼠飞质问道。然后,她又转头看着鸽翅,补充说:“好吧,你先过,但要小心。”

鸽翅知道松鸦羽为什么选她。她已经把特殊意识从树篱中发送出去,探索那边的田地。没有狗。但有另外一些奇怪的动物……哦,我认识!是绵羊。她记得去风族领地的时候从远处看到过这样

的动物：它们不会伤害我们。

她把肚子贴在地上，从那个缺口中爬过去，感觉到荆棘从背上的毛里划过。然后，她在树篱那边直起身，发现自己正面对两只又白又大、毛茸茸的动物。它们的蹄子尖尖的，表情平静，一副对一切漠不关心的样子。

这样近距离看到它们的感觉怪怪的，她想。它们看上去有点傻。

"鸽翅？"松鼠飞焦急的声音从树篱那边传过来，"你没事吧？"

"我很好。"鸽翅回答，"你们可以过来了。"

第二个出现的是松鸦羽。他站起来，抖松身上的毛，走到田地里。狐步跟在他后面钻过树篱。松鼠飞是最后一个，她喘着粗气把身体从缠结的荆棘中拉过去。

然后，她直起身，得意洋洋地说："怎么样？我没被卡住。"但她的表情随即变得困窘起来。

她好像在和一只没在这里的猫说话，鸽翅想。

松鼠飞摇摇头，好像要让头脑清醒过来。然后，她率领远征队顺着树篱往前走。这片地很大，鸽翅甚至无法看到另一边在哪里。她强忍住才没颤抖起来，心里想：这里的什么东西都很大，我连天边都看不到。

突然，她耳朵里响起一声很大的犬吠声。她顿时愣住了，惊愕地看到远征队的其他队员都还在默默往前走。狗的气味扑鼻而来。然后，她突然明白过来：这是她的特殊意识在向她预警。"狗！"她低声喊道，"躲起来！"

松鼠飞飞快地转过身，眺望着田地那边。"哪里？"

“那里。”

鸽翅伸出尾巴指向一个地方。一条狗出现在田野中间的一个小土堆上，它大声叫着向猫儿们冲过来。它的尾巴翘在身后，黑白相间的毛蓬松起来。

“臭狗！”松鼠飞嘶声说道，“鸽翅，狐步，把松鸦羽带进树篱。”

狐步已经在把松鸦羽往灌木丛里推了。鸽翅找到一根荆棘不太多的树枝，从那里钻进树篱，爬到松鸦羽身边。“把脚掌放在这里。”她命令道，并用尾巴指引着他，“现在，往上爬。”

松鸦羽强压住心里的怒火，吃力地将身子往上拖。鸽翅回头看去，松鼠飞正站在下面，背靠树篱。她的毛完全蓬松开来，让她看上去比平时大一倍。她弓起背，龇出牙齿。狗越来越近了。

“滚远点，臭东西！”她咆哮道。

鸽翅已经钻进灌木中，暂时安全了。她非常钦佩松鼠飞的勇气，心里想：她首先想到的是松鸦羽。她又回忆起听说过的那些故事：松鸦羽和哥哥姐姐都是这名姜黄皮毛的武士带大的；她把他们当成亲生幼崽，尽管叶池才是他们的亲生母亲。

即使现在，松鼠飞仍然把自己当成他们的母亲，鸽翅同情地想。

她从荆棘中间偷偷往外张望，看到那条狗已经跑到了松鼠飞面前，正在狂怒地号叫着，但没有发起进一步的攻击。星族啊，请让它走开吧。

“噢，不！”狐步的声音打断了她的祈祷。

鸽翅又往外看去，看到另一条狗从土堆上冒出来，正向他们冲过来。两条狗！这下它们肯定会发起攻击了！

松鼠飞继续坚守着。鸽翅开始从荆棘里面往外爬，想去帮助她。但她还没爬出树篱，第二条狗已经跑到第一条狗身边，开始冲着它叫起来。鸽翅注意到，第二条狗的口鼻已经灰白，显然是条老狗。"听上去好像老师在训斥学徒！"她悄悄对狐步说。

那只小一些的狗随即蹲伏到地上，哀号起来。三只猫紧张地等待着，几个心跳的时间之后，两条狗转过身，向田地那边跑去，开始追赶四散的绵羊，将它们赶往一个畜栏里。

"是的！"狐步开心地眨着两只大眼睛说，"它说的是：'蠢毛球，别去招惹这些猫。回去做正事！'"

鸽翅欣慰地舒了一口气，从树篱中爬出来。狐步帮着松鸦羽从树上爬下来。巫医愤怒地嘟哝着爬出树篱，站起来，伸长脖子，将皮毛里的小碎枝抖落下来。

"我脚垫里扎了根刺。"他小声问，"你们能找到酸模叶吗？"

鸽翅探测空气，发现树篱下就有一丛酸模叶，她急忙扯下几片递给松鸦羽。在松鸦羽用酸模叶的汁水擦脚垫的时候，她将感知力发送出去，追踪狗和绵羊。它们已经消失不见了，但她仍然能追踪到它们。两条狗已经把绵羊赶到一起，正把它们从田地那边的一个缺口赶进另一片田地。有一只两脚兽和它们在一起。

"我想，它们不会再来招惹我们了。"她说。

"但愿你说得没错。"松鼠飞正在梳理皮毛。她是他们中间唯一一个看上去没受到惊吓的猫。"我们走出这片田地之后，就找个地方过夜。"姜黄色武士继续说，"我们都应该休息一下了。"

说罢，松鼠飞带领大家继续顺着树篱往前走。鸽翅回头望了望

他们走过的路。太阳已经透过乌云探出头来，田野沐浴在猩红色的余晖中。鸽翅还能看到他们翻过的那些小山的轮廓，试图想象山那边的湖泊和湖边的族群猫。族猫们已经傍晚巡逻归来，在各自巢穴中安顿下来，准备过夜了。

她将意识发送出去，感觉内心深处震颤了一下，因为她发现自己第一次无法将眼前的世界与身后的世界连接起来。两者之间的声音太多，影像太多。

我已经离家很远，很远了。

第十章

藤池眨眨眼，睁开眼睛，看到四周都是黑森林灰白的光。她正蜷缩在一丛接骨木下的阴影中，树叶在她的银白色皮毛上投下一团团深色图案。她打了个哈欠，爬起来，溜出灌木丛。这里的树长得很密集，树枝交织在她头顶。她暗自庆幸没看到无星的天空，因为那是最恐怖的，老是让她想起自己不在雷族。

“但我仍然感觉自己离家好远，好远。”她嘟哝道。

她嗅嗅空气，闻到了许多猫的气味，还听到几只狐狸身长外的树林里有微弱的声音传出来。她向那个方向走去，发现自己已走到一片空地的边沿。她停下脚步，躲在一丛凤尾蕨下，偷偷向里张望。鹰霜站在空地中央，身边围着一圈比他年轻的猫。藤池认出了虎心和风皮。还有一只白色河族母猫，但藤池想不起她的名字，其他的猫她一点也不熟悉。

在灰白的光线中，鹰霜那双冰蓝色的眼睛亮闪闪的。“在战斗中，你们不会一对一地作战。”他说，“猫会从四面八方向你扑过来，你必须作好准备。现在，我要你们同时向我发起进攻。”

“我们同时进攻你？”风皮不相信地问。

“你没听明白我的话吗?”鹰霜听上去很不耐烦,“如果你想,我稍后可以和你单挑。”

“不必了,鹰霜。”风皮急忙回答说。

鼠脑子!藤池想。

“好了。”鹰霜用冰冷的目光扫视着身边的年轻猫们,“开始进攻!”

一时间,藤池看不见那名深色虎斑武士了,因为他已经被一群嗷嗷尖叫的猫压在身下。然后,他的头重新出现,看上去像是在猫湖中游泳。藤池尽管不喜欢鹰霜,但看到他重新站稳脚跟,向进攻者发起反击,心里也升起一丝钦佩。他的腿快速移动着,脚掌仿佛无处不在,奋力地砍杀撕扯,让藤池看得眼花缭乱。进攻的猫们一只只向后退去,直到鹰霜重新独自站在空地中央。他的毛蓬松着,嘴里喘着粗气,但藤池没看到他身上有伤。

太厉害了,她不得不承认。她的脚掌已经不由自主地刺痒起来,她很想知道鹰霜是怎样做到这点的。

虎斑武士缓过气来之后,继续说:“现在,谁能告诉我你今天学到了什么?”

“避开你的爪子。”虎心舔着一只流血的脚掌嘟哝道。

年轻猫们打趣地笑起来,但鹰霜没笑。他逼问道:“还学到了什么有用的吗?”

那名白毛河族武士竖起尾巴,说:“你好像可以用四只脚掌同时战斗。”

“很好,冰翅。”鹰霜赞许地向她点点头,“我就是那样做的。”

“但你是怎样做到的呢？”另一只猫追问道。

“看好，我做给你们看。我慢慢做。”鹰霜用后掌直立起来，伸出前掌和爪子。然后，他迅疾地用力将前掌向下打去。他的前掌刚刚碰到地面，后掌已经蹬了出来。如果哪只倒霉的猫碰巧在他身后，一定会被蹬倒在地。“就是这样。”说完之后，他又重复了一下那个动作。这次速度更快。“现在，你们试试。”

藤池看着族群猫们练习。突然，她意识到自己从没在黑森林同时看到过这么多猫。太多了！她想，心里不由紧张起来。虎心和族猫红柳以及鼠痕都在那里。风族猫有日光。还有一名河族学徒和白毛武士冰翅在一起。

“鼠痕一向不老实。”藤池压低声音自言自语道，“他在这里我一点儿也不奇怪。风皮历来就是个讨厌的毛球。在森林大会上认识日光时，我还有点喜欢她。冰翅看上去也很友好。他们在这里干什么呢？”

我在这里做什么？她又问自己。我是密探。因此，这些猫里面可能也有各自族群的密探。

但从他们急切地练习鹰霜教的动作判断，这些年轻猫来这里的原因都和藤池当初来的理由相同：为了把自己锻炼成各自族群最优秀的武士，在战斗和保护家园时有最出色的表现。

藤池知道，如果她在凤尾蕨中再躲一段时间，有些猫可能会闻出她的气味。她不想其他猫责备她偷窥，不过我就是在偷窥！因此，她从凤尾蕨里走出来，绕过训练猫，走到鹰霜面前，停下脚步，礼貌地向他点点头，说：“你好！”

鹰霜把眼睛眯成两道冰冷的缝。“你迟到了。”他呵斥道。

“对不起，我很难入睡。”

深色虎斑猫抽抽耳朵。“你在族群里是不是过得太悠闲了？”他嘲讽地问。“我们很快就会改变这种状况。”他抬高声音，“黑森林猫！”

周围的猫立即停止练习，重新在他身边围成一个圆圈。鹰霜赞许地扫视着他们。“干得好。”他说，“现在，你们需要练习新的战斗技能，藤池准备帮助你们。进攻！”

他说罢立即跳出圈外，黑森林猫向藤池逼近。她还没来得及发出抗议，风皮已经扑到她身上。他试图模仿鹰霜后掌立前掌劈的动作，但藤池向后一跳，他没打中，反而失去平衡，摇摇晃晃地向地上倒去。

“活该，癞皮猫！”藤池龇牙咧嘴地怒骂道。

与此同时，若干双脚爪落在她背上。她想转过身，但另一只猫已经跳到她身上，她被砸倒在地。那只猫向她压下来，她感觉快要喘不过气了。她看到虎心的琥珀色眼睛，就在她眼前，离她只有一条老鼠尾巴那么远。

“你居然袭击我弟弟，我来教训你！”他怒吼道。

藤池用力蹬出后掌，向虎心腹部打去，虎心向一旁滚去，但滚开的同时，他往藤池耳朵上狠狠抓了一下。另一只猫又扑到她身上，还有一只正咬着她的尾巴，藤池几乎无法动弹。恶毒的号叫声让她的耳朵刺痛起来。

要想活命，我必须拼命！

突然，一个身影落在打得不可开交的猫儿身上，尖叫声戛然而

止。藤池感觉到压在她身上的重量消失了，她从地上爬起来。由于眼睛上方有道很深的伤口，鲜血正往下滴，她一时什么也看不见。她用脚掌擦擦眼睛，抬头看去，发现断星正站在空地边上。另一只猫站在他后面的阴影中。

“我可不想打断你们的训练呀。”断星说。

鹰霜向他迈出一步，恭敬地说：“欢迎，断星。我们有什么可以为你做的吗？”

“你应该说：我能为你做点什么？”前影族族长答道，“我有一名新学徒要介绍给你们。”他走到空地中央，他后面的猫也跟了上来。当那身玳瑁色虎斑皮毛出现在光线下时，藤池惊恐地倒吸了一口凉气。

“这是雷族的梅花落。”断星继续说，“你们有些猫已经认识她了。梅花落，这些都是你的新族猫。”

梅花落紧张地环顾四周。当她的目光落在藤池身上时，眼里闪出熟识的光，但她什么也没说，只是生硬地向她点了下头。藤池猜，她不想让黑森林的猫认为，她对雷族猫比对其他猫更友好。

有些黑森林猫低声向梅花落问好，但没有猫再说点别的什么。想到黑森林的一切都是那么虚假，藤池很想抽身离开。这里的所有猫属于一个族群吗？但我们的举止却根本不像！怎么会有另一只雷族猫在这里？雷族猫都是忠诚的！

“嗯，”鹰霜慢吞吞地说，“断星，你要让我们见识一下这只新猫的本事吗？”

作为回答，前影族族长用尾巴示意鼠痕，然后厉声喊道：“战斗。”

鼠痕有只耳朵受伤了，那是与鹰霜交战的结果，但他丝毫没有犹豫。他一头向梅花落撞去。梅花落没想到会受到这样的突然袭击，惊愕之中被撞得仰面倒在地上。鼠痕发出一声胜利的号叫，伸出一只脚掌向梅花落喉咙上打去。藤池在一旁看着，她的心都提到了嗓子眼。但梅花落竟然用后腿支撑着站起来，成功地将鼠痕撞开。鼠痕还没来得及从地上爬起来，她已经飞速从他身旁冲过，并在他侧腹上轻轻一击。然后，她迅疾地转过身，等待着他的下一个动作。你必须把爪子伸出来！藤池焦急地想，这不是雷族的训练课。

鼠痕蹲伏下来，然后一跃而起，向梅花落扑过去。她低头冲到他身下。但在最后一刻，鼠痕在空中迅疾转身，稳稳落在她的腰臀部，同时用牙齿狠狠咬住她的尾巴根。梅花落痛得号叫起来。影族武士已经再次将她牢牢压在地上。这次，梅花落无法脱身，只好盲目地击打鼠痕的头和肩膀。但藤池看出，她的击打力度越来越小。

那名影族猫块头大得多，作战经验也更为丰富，藤池不能眼睁睁看着自己的族猫被撕成碎片。她一个箭步冲上前去，用肩膀狠狠撞击鼠痕，将他从梅花落身上撞得滚到了一边。同时，她用脚爪猛抓他的耳朵。鼠痕惊愕地怒吼起来，转身迎战她，梅花落趁机站起来。

"停！"鼠痕还没出手，断星的声音已经在空地上响起。

三只猫愣在原地。那只黑猫从空地冲到他们中间，一甩尾巴，让鼠痕退下，然后虎视眈眈地看着藤池。"你觉得你在干什么？"他的声音不高，但狠毒的语气吓得藤池浑身颤抖起来，"谁给你权力干扰训练的？"

藤池竭力掩饰住自己的恐惧，抬起头，毫不示弱地怒视着他。

断星，你要让我们
见识一下这只新猫的
本事吗？
这是雷族的梅花落。

战斗，
鼠痕！

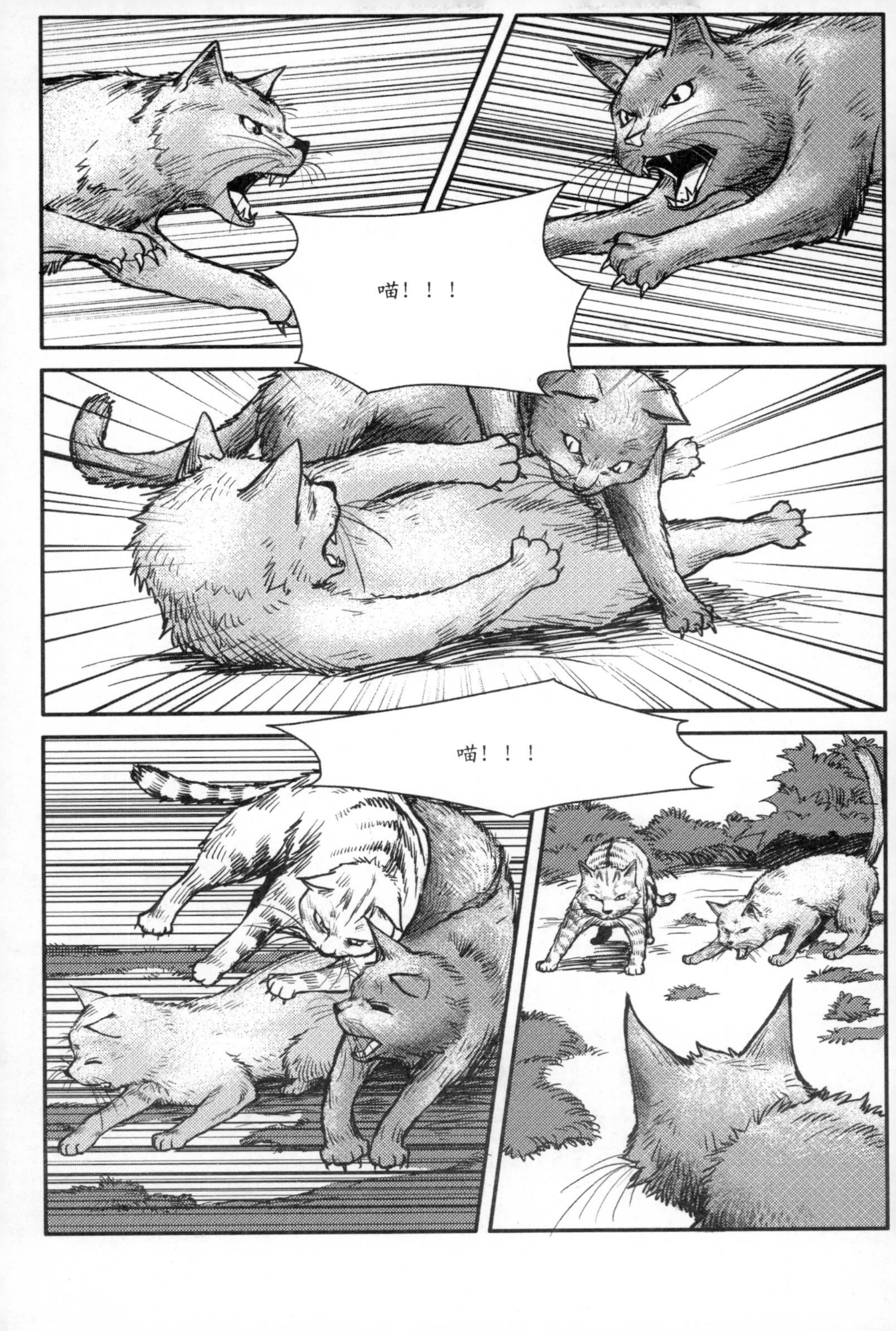
喵！！！
喵！！！

“我们忠于彼此，对吗？”她感觉到一股怒气从心底升腾起来，驱散了她的恐惧，“难道我们应该像胆小鬼一样熟视无睹，任由两只猫在战斗中互相残杀吗？”

断星眯起眼睛，他身上竖起的每根毛都在昭示着他对她的极度不信任。“你刚才救的是你的族猫。”他指出。

“在这里，他们都是我的族猫。”藤池反驳道。星族啊，让他相信我吧！“我不明白她为什么第一次来这里就该丧命。”

断星一动不动地又站了一会儿，两眼死死地盯着她。然后，他哼了一声，走到一边。藤池和梅花落被留在原地。

“你没必要那样做的。”玳瑁色武士梳理着乱糟糟的皮毛，轻声说，“我也许能打败鼠痕。”

那刺猬也会飞了，藤池想。她转过头，看到那群黑森林猫中有一只棕色公猫，而且还长着一只黑耳朵，她认出他了。

“蚁毛！”她惊呼道，并向他跑去，“我刚才没看到你，你已经好了呀，真是太棒了。”

风族武士的伤已经痊愈，他背上和喉部留下了长长的疤痕。但他看上去很强壮，好像一点也不痛苦。他疑惑地看了藤池一眼，说：“这里就是我的家。”

藤池一时没明白他的话。然后，她突然感觉自己仿佛掉进了冰冷的溪水中。“你——你死了？”她惊愕地说。

蚁毛耸耸肩：“如果你愿意，可以这么说。”

“你自己选择来这里的吗？”藤池竭力掩饰着声音里的惊讶。我喜欢过蚁毛！他不应该与这些邪恶的猫为伍。

“这些就是我的族猫，比风族猫更亲。”蚁毛告诉他，但他声音里有一丝遗憾，“我还能去别的地方吗？”

藤池无法回答这个问题。“真遗憾。”她尴尬地说。

“我想来这里。”蚁毛说着又耸了一下肩。

“藤池，到这里来！”

听到鹰霜叫她，藤池似乎松了一口气。她向风族武士点点头，跑过空地，在鹰霜面前停下脚步。一名河族学徒正站在他旁边，他的眼睛瞪得很大，看上去好像很急切。

“这是空爪。”鹰霜告诉她，“他是新来的，教他一两个动作。”

“好的。”藤池回答。她很高兴鹰霜没留下来观看，而是向空地那边走去。虎心和日光正准备开始进行实战练习。

“嗨，空爪。”她说，“这是你第一次来这里吗？”

“第二次。”空爪像幼崽一样吱吱叫着说出这三个字，又清清喉咙，“我在一个梦里到了这里，认识了鹰霜。”他又补充说：“我告诉他，其他学徒欺负我，他说他会教我怎样反抗他们。”

“是的，你可以做到。”藤池向他保证道。但她很为这名胆怯的学徒担心。他不知道自己陷入了什么麻烦之中，我自己当初也不知道。不过，她想，教他一些好的战斗动作没有任何害处。

听到她的话，空爪立即振奋起来。“太好了！鳟溪和苔爪会大吃一惊的！鳟溪尤其讨厌，因为他被命名为武士了。”他又补充说。

“我们最好还是缩着爪子练习吧。”藤池建议道，希望鹰霜和断星不会注意到。我今晚遇到的麻烦已经够多的了。“好了。”她继续说，“我是一只前来袭击河族营地的狐狸，你准备怎么办？”

作为回答，空爪向她扑过来。他号叫着龇出牙齿，伸出脚掌，想完全控制住她。藤池向旁边一闪，同时一伸腿，直接将空爪绊倒在地。她将一只脚掌踩在他肩膀上，另一只踩着他的肚子，空爪无助地在地上扭动着。

伟大的星族啊！河族是怎样训练学徒的呀？

她大声说："现在，我是一只狐狸，将把你从学徒巢穴叼走吃掉。"她松开脚，空爪从地上爬起来，垂头丧气地站在那里，尴尬地用前爪在地上抓挠着。

"对不起。"他嘟哝道。

"别这么说。"藤池回头张望，确定鹰霜和断星仍然听不到他们的谈话，"你毕竟是来这里学习的。现在，你当狐狸，我来教你该怎么做。"

她教给空爪一个非常基本的动作：飞快冲过去，用爪子袭击对方，迅速退回来。"记住，狐狸或者——星族饶恕我——獾比你大得多，重得多，只使蛮力无济于事。你必须动作迅速，干净利落。试试看。"

空爪向她跳过来，眼里闪着怒光。他用一只没有伸出爪子的脚掌在她侧腹上猛抓一把，接着迅速跳开。"是这样吗？"

"很好。再来。"

学徒练习的时候，藤池看了一眼鹰霜和断星。他们已经分开，正在空地上巡视，看其他猫实战演练。别到这边来，好吗？

她让空爪暂停，正要向他介绍另一个动作，就听到了鹰霜的喊声："藤池！"

噢，不！

但藤池转过身时，看到那名虎斑武士正招呼全部的训练猫都到空地中间去。藤池松了口气，意识到是训练课结束了。

“你们都练得很好。”鹰霜对聚集在身边的猫说。“尤其是你，梅花落。”他又补充说，还赞许地向这名新来的雷族猫点了下头。“那个腾跳转身动作很漂亮。”

梅花落眼里闪着自豪的光。“谢谢，鹰霜。”她说，并向黑森林武士点点头。

“我猜你会很快适应这里的。”鹰霜对她说。

藤池的心沉了下去。她打量着围在鹰霜身边的猫，每一只都强健结实，渴望战斗。

星族啊，帮帮我们吧，她想。黑森林正从每个族群内部招募忠诚武士，而且他们成功了！

第十一章

鸽翅停下脚步，抬头望去。她还以为那些白雪覆盖的山坡和锯齿状的岩石永远没有尽头呢。但现在，她终于看到了最高的山峰。它们耸立在浅蓝色的天空下，山尖白云缭绕。

“难以置信！”她感叹道。

“简直……简直太棒了！”狐步听上去像只受惊的幼崽，声音尖尖的。

“这些山的确够震撼，尤其你第一次看到它们的时候。”松鼠飞走过来，站在两名年轻猫身边，“我永远不会忘记第一次来这里时的情景。”

“我也不会。”松鸦羽气哼哼地说，脖子上的毛竖了起来，脸上的表情像不小心咬到鸦食了似的。“天很冷，风很大，脚掌都冻僵了。但我们一刻也不能停留，只能一直往前走。”

这已经是他们离开湖区的第三天了。天气晴朗，但鸽翅仍然把毛蓬松起来，抵御从山顶上吹下来的刺骨寒风。“那上面的猫怎样生活啊？”她问，“那里有猎物吗？”

“有你也看不到。”松鸦羽没好气地说。

“当然有猎物。”松鼠飞说，还愤怒地瞪了巫医一眼，“但和我们的不一样，而且他们的捕猎方式也不同。你会看到的。”说罢，她一甩尾巴，自顾自向前走去。松鸦羽急忙跟上。鸽翅和狐步交换一下眼色，走在他们身后。他们脚下的路通向绵延的缓坡脚下。坡上长满了高沼地草，还有石楠。一块块岩石从贫瘠的土壤中探出头来。

“这里有点像风族领地。”狐步嘟哝道，“我不喜欢。”

鸽翅低声赞同他的话。没有树的遮蔽，她感到很不安，她开始想念起森林里充满猎物气味的灌木来。“不过，在这里至少能很容易发现会试图偷袭我们的敌人。”她说。

她把意识发送出去，探测一下前方是否有危险。除了隐藏在灌木丛中猎物的沙沙声和潺潺的流水声，她什么也没听到。突然，头顶传来刺耳的叫声。鸽翅抬起头，看到一只鸟正盘旋在高高的空中，伸展开巨大的翅膀。她没认出那是什么鸟，但模糊地感觉到那东西很可怕。

“那是老鹰！”松鼠飞说，“我们还要走很长的路，必须提防它们才行，它们个头很大，可以向猫发起进攻。”

鸽翅打了个寒战。这是什么地方啊，鸟都这么危险？

那天的其他时间，猫儿们一直在山里赶路，只在正午的时候歇息了一会儿。松鼠飞和狐步合力捕到一只兔子。四只猫饱餐了一顿，但吃得很快，因为大家心里都忐忑不安。山坡渐渐变得更陡了，草越来越稀疏。远征猫们吃力地走在岩石上，偶尔才会在石缝间发现几丛杂草或是弱小的灌木。太阳开始下山了，在他们身前投下一道道长长的影子，也给白雪覆盖的山坡披上了一件猩红色的彩衣。

但愿我们能在天黑前找到遮蔽处过夜，鸽翅心里想。

松鼠飞领着他们顺着一条狭窄的小路往前走。小路在尖尖的岩石中蜿蜒向前延伸，石缝中仍然有不少积雪。最后，他们来到一片空地上，这里到处都是大而光滑的圆石头。为了赶路，他们不得不从石头上爬过去。松鸦羽嘴里一直骂骂咧咧的，因为他看不见，不知道该往哪里落脚，不停地滑倒。圆石头地那边有个坑，坑里有很深的积雪，在坑底还有一摊水，周边全结了冰。坑边的草长得茂密一些，草上覆盖着厚厚的雪。

“太好了，有水喝了！”狐步欢呼着跳上前去，“我的舌头感觉和这些岩石一样干了。”

“当心！”松鼠飞警告道。

鸽翅跟在狐步后面缓步向前移动。她闻到了很浓烈的猫味，发现自己的脚步已经跨过了气味最浓的地方。突然，她意识到这一定是边界，就像将森林里各族群分隔开来的边界线。

“我们在急水部落的领地上了。”松鼠飞解释说。接着，她又满意地补充说：“他们仍然在更新气味标志。”

四只猫走到水边喝水。但是，正当鸽翅伸出一只脚掌打碎水边的薄冰，开始舔水时，一声刺耳的号叫在她身后响起。

“入侵猫！”

与此同时，一个重物向她撞来，将她撞翻在地。她重重地倒在水边的地上，用力踢打着脚掌，溅起大片水珠。然后，她伸出爪子，爬起来，狂耍尾巴。她看到一只和学徒差不多大小的黑色公猫正盯着自己，眼里充满毫不掩饰的敌意。

“从我们领地上滚出去！”他怒喝道。

“等等——”松鼠飞试图解释。

“黑影！停下！”

一只灰白色母猫从水坑那边半坡上的一块大圆石后面走出来，她身后跟着一只深色虎斑公猫和另一只年轻猫。那是只母猫，皮毛上有灰色斑点。

“但他们在入侵！”黑色公猫抗议道。

“不，他们没有。”母猫大步冲下山坡，站到黑影身边，轻轻拍拍他的一只耳朵。“他们不是入侵猫，他们是客人。”她的声音听上去有些惊讶，耳朵因兴奋微微抽动着。她转向松鼠飞，更加热情地补充说：“松鼠飞，我们又见面了。真高兴，还有松鸦爪。”

“是松鸦羽。”巫医抽抽耳朵，纠正道。

“是翅影吧？”松鼠飞走上前去，和灰白母猫碰了碰鼻子。“还有陡径。”她向深色虎斑公猫点点头，“这是鸽翅，这是狐步。”

鸽翅点头问候，并好奇地看着部落猫。他们比族群猫小得多，而且看上去好像都需要补充营养。

翅影用尾巴指着黑色公猫，继续说：“这只半大猫是黑影。他居然如此自不量力，想独自迎战四只猫。这是疾雨。”

灰色斑点猫礼貌地点点头。

“半大猫？”鸽翅嘀咕道。

“就像我们的学徒。”松鸦羽伏在她耳边悄悄说。

“真没想到会再次见到你们。”陡径对松鼠飞说，“族群猫有麻烦了吗？你们需要帮助吗？”

“不是，一切都很好。”松鼠飞笑着说，“我们只是想来拜访一下老朋友。”

翅影抽抽耳朵。鸽翅估计她已经猜到，族群猫在秃叶季大老远地跑来，一定另有原因。但她只是说了句：“我们最好带你们回洞穴吧，天很快就要黑了。”

雷族远征队跟在部落猫后面向山地更深处走去。太阳已经落山了，天边的最后一抹晚霞正在淡去。暮色降临，小路更难看清了。但部落猫们都娴熟地大步向前走着，然后站在岩石顶上等着族群猫们跟上去。风在山间呼啸，将冰粒吹进鸽翅眼睛里，她不停地眨眼。

“为什么会有猫想在这种地方生活呀。”松鸦羽爬上一块大圆石，喘着粗气说，“我永远无法理解。”他迟疑了一下，在石头上蹲伏下来。前面的地面凹凸不平。鸽翅意识到，松鸦羽如果跳落在错的地方，可能会伤到自己。

“等等。”她说着跳到一团积雪上，先检查一下那里是否有锋利的石头，然后，她对松鸦羽说：“往这里跳，循着我的声音来。”

松鸦羽跳起来，笨拙地落下，鸽翅急忙扶住他。他嘟哝道：“谢谢。”

他们开始爬一道很长的坡时，鸽翅和松鸦羽落在了后面。松鼠飞和狐步已经走到前头去了。鸽翅听到一个新声音，是一种深沉、持续的咆哮声。他们每向前走一步，那声音就更大一些。

“那是什么声音？”她问松鸦羽。

“啊，你已经能听到了吗？”松鸦羽小声说。鸽翅猜测，她可能不由自主地使用了自己的特殊意识。“是瀑布，急水部落居住的地方。”

很快，所有的猫都能听到隆隆的流水声了。他们爬上最后一道陡坡，站到一块平坦的岩石上。一条河从圆石之间流过，风从河上吹来，撕扯着鸽翅的皮毛，仿佛要将她吹倒。风声淹没在瀑布震耳欲聋的吼声中。

鸽翅走到悬崖边。河水从岩石顶端呼啸而下，形成一道漂亮的弧线。“太美了！”她向站在身边的陡径欢呼道。陡径伸出一只脚掌，仿佛在警告她当心。“你们真的住在这里吗？”

“我们的洞穴在瀑布后面。”他自豪地解释说。

“好恐怖哦！”我们真的必须走到那些泛着水沫的流水后面去吗？她在心里暗暗地想，这不是猫生活的地方！

陡径领着族群猫顺着瀑布边的岩石往下走，岩石表面又湿又滑。鸽翅用脚掌紧紧抓住硬硬的石头表面，疯狂地摆动着尾巴，保持平衡。她的心跳得很快，但她竭力保持镇静，不让那些陌生猫看出她有多害怕。翅影和松鼠飞把松鸦羽夹在中间。松鸦羽吃力地向下挪动着脚步，每走一步，嘴里就嘟哝一声。

最后，他们终于站在了一条通往瀑布后面的狭窄小径上。鸽翅踩着陡径的脚印，小心翼翼地往前走。一边是岩壁，另一边是无尽的流水。飞溅的水沫湿透了她的皮毛，她颤抖起来。

现在，天已经完全黑了。瀑布就像一道泛着涟漪的灰色帘子，反射着月光，闪闪发亮。鸽翅继续向前走时，一个阴暗的空间出现在水帘的另一边。陡径消失在那个空间里，他的声音向鸽翅传回来，发出奇怪的回声。

“欢迎光临急水部落！”

鸽翅眨巴着眼睛走进洞穴，松鼠飞、松鸦羽和狐步跟着走进去，其他部落猫走在最后。鸽翅把皮毛抖干，凝视着高高的洞壁。洞顶隐藏在她头顶高处的阴影中。洞的另一端有两条通道，尽头之处一片黑暗。有些猫蹲伏在壁架上，低头凝视着新来者。其他猫在洞里围着对方绕圈子，鸽翅觉得他们好像正在进行什么训练。来访者停下脚步时，那些猫统统停下来，挤到了洞口。鸽翅的皮毛刺麻起来。

几乎与此同时，一个声音从洞穴的另一边传过来。"简直难以置信！松鼠飞！松鸦爪！"

"是松鸦羽。"巫医嘟哝道。

一只深灰色公猫从阴影中跑出来，滑动脚步停在松鼠飞面前。他的腿比其他猫的都更长。他说："太好了，我们又见面了。"

"鹰崖。"松鼠飞笑着说，"很高兴再次来到这里。"

更多的猫围拢过来，主动问候访客，打听族群猫的情况。鸽翅的头开始眩晕起来。松鼠飞介绍了每一只猫，但鸽翅很难记住他们的名字，也区分不出谁是谁，因为他们看上去很相似：个头很小，瘦骨嶙峋，大多数都是灰棕色皮毛。

而且，他们的名字都那么长！难怪他们会使用简称！

"还记得吗，你们第一次来这里时，遭到了我们的伏击？"一只叫鹰爪的老猫正在和松鼠飞聊天。"我差点把你的皮撕掉。但你成功地说服了我们，让我们相信你我是站在一边的。"

让鸽翅惊讶的是，松鼠飞友好地在老猫肩膀上击了一掌。"你可能一直在纳闷，究竟是谁在撕谁的皮呀？我们当时在合力还击尖牙。"

鹰爪点点头，用力眨眨眼，接着又摇摇头，仿佛在摆脱痛苦的回忆。“溪儿在哪里？”他环顾着四周。然后，他从簇拥在来访猫周围的部落猫中间挤出来，大声喊道：“溪儿，快来看看谁来了。”

一只仪态优雅的虎斑母猫从岩洞后部的一个角落里走出来，两只幼崽摇摇晃晃地走在她前面。

松鼠飞那双绿色眼睛睁大了，闪着亮光。“溪儿！你有幼崽了！”

溪儿走到松鼠飞面前，和她碰碰鼻子，喉咙里发出咕噜咕噜的笑声，仿佛永远不会停下来。她还张开嘴，贪婪地呼吸着松鼠飞的气味。然后，她自豪地说：“欢迎回来。这是晨雀和岩松。晨雀长得像她父亲，你觉得呢？”

“真为你和暴毛高兴！”松鼠飞开心地说，并弯下腰，分别嗅嗅两只幼崽。

两个小家伙抬起头，好奇地瞪大眼睛。晨雀说：“你们是来加入急水部落的吗？”

松鼠飞摇摇头：“不是，我们是来做客的。”

“你应该留下来。”岩松急切地摇着粗短的尾巴，“部落猫是最棒的！”

“我还得向你请教如何养育幼崽呢。”溪儿继续对松鼠飞说，“你的三只幼崽都那么出色！”

鸽翅突然愣住了，等着松鼠飞回答。一时间，松鼠飞仿佛不知说什么好，她低下头。“你好像做得很不错呢，不需要我的帮助。”她说，“他们好可爱啊，强壮、健康。暴毛哪儿去了？”她又问，显然想转移话题。

“巡逻边界去了。”溪儿解释说，“应该马上就会回来了。”

“对了，边界巡逻怎么样？”松鼠飞问，“你们成功地保护了边界，让敌猫不敢进攻了吗？”

“很难。”一只黑毛公猫回答说。鸽翅记得他的名字是怒枭。“而且我们巡逻边界很累，都没多少力气捕猎了。”

“但你们不用随时全部出动啊。”狐步环顾着洞里的猫说，“你们这里的猫很多。为什么不让一些去巡逻，另一些去捕猎呢？我们就是这样做的。”

“部落的分工和我们的不同。”松鼠飞解释说，“他们有两种猫。狩猎猫负责捕猎，护穴猫保护狩猎猫。所以，捕猎的时候需要更多的猫。”

“哦，但他们仍然可以——”

鸽翅不知道狐步后面说的是什么。她敏锐的听力已经捕捉到另一个声音，是猫的脚步声，很轻，是从洞穴后部传来的。一个瓮声瓮气的声音问：“他们这次又来干什么？”

鸽翅转过身，看到猫群向两边分开，一只瘦骨嶙峋的虎斑老猫出现在他们面前。他和学徒差不多高，身上有些地方的毛已经掉光，腰臀部瘦得皮包骨头。他走上前来时，鸽翅惊愕地听到了他的心脏不规则的跳动声，以及他吃力的喘气声。当他在松鼠飞面前停下脚步时，一股气味从他张开的嘴里飘出来，闻上去像腐烂的鸦食。

这只猫快要死了！鸽翅警觉地意识到。

“尖石巫师……”溪儿怯生生地说，“你看谁来了。”

“我知道是谁。”尖石巫师呵斥道，“我想知道的是，他们来干

什么。”

松鼠飞瞥了溪儿一眼，走上前去，礼貌地向那只老公猫点点头。“你好，尖石巫师。”她说，“我和族猫们前来拜访，想看看大家生活得怎样。”

“你们是不是认为，没有你们，我们就活不下去了？”尖石巫师低声吼道。

鸽翅看出松鼠飞有点慌乱，她的脚爪在硬邦邦的洞底上抓挠着。“不是那样的——”她开口说。

尖石巫师从喉咙里发出一声深沉的号叫，打断了她的话，还用力甩了一下尾巴。狐步瞪大眼睛，凑到鸽翅耳边，悄声说：“谁在他的新鲜猎物中拉了屎吗？”

松鸦羽走上去，鸽翅紧张起来。巫医脾气暴躁，这时上去插话，肯定会把事情搞得更糟。可是，松鸦羽开口说话时语气平静，让她很是吃惊。

“尖石巫师，一切都很正常，相信我。我们就是作为朋友来拜访的。”他用尾巴指着狐步和鸽翅，补充说：“我们觉得，让两名年轻猫来体会一下部落猫的生活方式，会是一次不错的经历。你们过去向我们学习过，我们也有很多需要向你们学习的东西。”

尖石巫师闷声闷气地哼了一声，但没进一步向来访猫发难。

“说得好，松鸦羽。”松鼠飞悄悄说。

翅影从猫群中走出来，向尖石巫师点点头。“尖石巫师，这些猫可以和我们一起吃今天的食物吗？”

“今天的食物？”狐步惊愕地问，“你的意思是说，你们每天只吃

一次？你们不饿吗？”

“你不怕长胖吗？”一只年轻母猫上下打量着他，反驳道。

尖石巫师表示同意，不过鸽翅看出他很不高兴。他退到一边，翅影和溪儿领着来访猫走过山洞，在新鲜猎物堆前停下脚步。

“请随便吃。”翅影邀请道。

鸽翅跟在松鼠飞后面走过去，从猎物堆上拖出一只鸟，张大嘴巴咬下去。但片刻之后，她就觉得难以下咽了。伟大的星族啊，怎么这么苦啊！她仔细看看猎物。那鸟是她以前从没看到过的种类，比森林里的鸟更大，棕色羽毛，喙是弯的。

“真不知道有哪只猫能独自捕到这样的鸟。”她自言自语地说。

“简直不可思议。”黑影听到了她的话，惊呼道。他又嘲弄地冲她眨眨眼：“好像这里有哪只猫会独自捕猎似的。狩猎猫都是协同工作的，连幼崽都知道这点。看着，我们演示给你看。疾雨，白雪，过来！”他招呼他们在山里遇到过的另一只灰色半大猫，以及另一只白色皮毛的年轻母猫。“白雪，你当老鹰吧。”

“好的。”白雪跳到洞壁的一个壁架上。

“疾雨，你和我一起当狩猎猫。”黑影继续说。

“但我是护穴猫。”疾雨反驳道。

黑影叹息一声：“那又怎样？你可以假装狩猎猫，行吗？你知道狩猎猫是怎样做的。”

疾雨耸耸肩，蹲伏到一块圆石头底部。黑影也在几尾远外的地方摆出蹲伏姿势。两只猫一动不动地蹲在那里。鸽翅疑惑不解地看着他们。

“他们什么都没做。”狐步悄悄说，并把目光从自己掌中的猎物上抬起来。

就在那时，白雪从壁架上向下面的洞底跳下来。黑影和疾雨立即同时冲上去，扑到她身上。当她试图站起来时，他们伸出脚掌，把她牢牢按在地上。

“嘿，别用那么大劲啊！”她低吼道。

“你们在干什么？”一只怀着幼崽的黑毛母猫回头看着他们，脸上的表情很是不满，“这些半大猫！现在是吃东西的时候，不是玩的时候！”

“对不起，无星之夜。”疾雨嘟哝道。

“我们只是在向这些陌生猫——”黑影抗议道。

“我知道，我知道。”无星之夜打断他的话，“总是有借口……早上再向他们展示吧，行吗？”

黑影低下头，从猎物堆里拉出一只兔子，拖着它和其他半大猫分享去了。

“奇怪。”鸽翅低声对狐步说。她有点想念族群生活了。在族群里，只要有足够多的猎物，任何猫饿了随时都可以吃；只要学徒履行了自己的职责，没有猫会不准他们玩耍。“部落猫真的很严格！”

狐步凑到她身边，附和她说：“的确又严格又奇怪。”

族群猫吃完之后，溪儿带他们穿过一个洞穴说：“你们在这里睡吧。”松鼠飞悄悄打量四周。鸽翅看到洞底有几个很浅的坑，里面铺着羽毛。这些就是窝吗？她感到很惊讶，这时她多么渴望能睡到石头山谷中自己的巢穴里，蜷缩在那松软的苔藓和凤尾蕨中。

溪儿的幼崽岩松从最大的石坑边探过头去，嗅着里面的羽毛。“看上去好舒适哦！”他说。

“我想在那里睡觉！”晨雀宣布说，并一下跳进那个窝里。羽毛打着旋飞起来，有一片落在她鼻子上，她打了个喷嚏。

“不行！”溪儿惊呼道。她身上的毛蓬松起来。“马上出来，我们自己的窝非常舒适。”

晨雀不满地甩动着小尾巴，从羽毛中爬出来。溪儿用尾巴将沾在女儿身上的羽毛扫落干净，又把她的毛抚平。“对不起。”她对松鼠飞说。“但你也知道的，幼崽都喜欢这样。睡个好觉吧。”她又补充说，并用尾巴将两只幼崽拢到一起，带着他们离开了。

“晚安！”松鼠飞在她身后喊道。

鸽翅蜷缩到一个石坑里，但发现根本无法入睡。瀑布雷鸣般的水声震得她耳膜生疼，而且完全无法屏蔽。她觉得被那隆隆的水声完全困住了，那声音掩盖了她可能听到的任何其他声音。她从来没有被这样困在石头和水中间过。

这不对劲，她想。

她抬起头，看到三只族猫已经睡着了。松鸦羽正在不安地蠕动，仿佛和星族猫一起步入了不祥的梦中……或者黑森林。她听到洞穴那边有部落猫的声音，他们正准备安顿下来过夜。

“晨雀，闭上眼睛。”是溪儿的声音，“不然明天就没力气玩耍了。”

“晚安，驭风鸟。”是那只老猫鹰爪的声音。

“晚安。”一只不熟悉的母猫回答，“做个好梦。”

“白雪，如果你不把脚掌从我耳朵上拿开，我就抓你！”鸽翅听

到黑影愤怒的声音，打趣地咕噜咕噜笑起来。

各种声音渐渐消失，洞内安静下来。鸽翅小心翼翼地从窝里爬出来，走过山洞，向瀑布走去。她兴奋得脚掌刺麻，不停地回头张望。她知道，如果哪只部落猫发现她，他们可能会认为她是密探。但是，当她走上通往瀑布后面的小径，沿着小径往前走时，没有猫冲着她喊叫。流水在月光下闪着微光。鸽翅站到水池边的岩石上，空气中水雾弥漫。

好美！她第一次明白了部落猫为何选择在这个荒凉的地方安家。

鸽翅异常小心地在黑暗中往上爬，爬上瀑布边的岩壁，一直走到悬崖顶上。她用力抖抖身子，抖落皮毛上的水珠，然后坐下来，向四周张望，顿时惊讶得气都喘不过来了。周围是一座座山峰，绵延向她目力所及的远方，山上的很多地方覆盖着白雪。现在，瀑布已经在她脚下，咆哮声仍然震耳欲聋，但她没有在山洞里时那种被困的感觉了。

她将意识从雪景中发送出去。在清新的空气中，她的视力和听力都更加敏锐。她听到那种巨鸟——是叫老鹰吗？——在悬崖上小树枝做成的窝里蠕动；岩缝中的积雪正在慢慢融化，汇聚成小小的溪流；白毛野兔在雪地和鹅卵石间拖着脚走，想找到草吃。表面看去如此荒芜的山地，其实生机勃勃。

然后，鸽翅意识到，她还听到了猫的声音。不是部落猫，因为他们的脚步声很重。他们傲慢地从岩石上跳过来，走到急水部落的气味标志前，嗅了嗅。

“哼，这就是急水部落的边界呀。”一个嘲讽的声音飘进鸽翅耳

朵里,“我们应该跨越它吗? 我吓得都浑身发抖啦! ”

“这些猫的脑袋里有蜜蜂吧。”另一个声音说,“居然以为用一道空气屏障就能把我们阻隔在外面! ”

鸽翅越听心里越愤怒。第一只猫首先跳过边界,第二只猫接着跳过去。然后,他们又跳回去,接着又跳过来,站在部落领地里。

“你们在哪里? ”第一只猫吼道,“你们的巡逻队怎么不把我们赶出去? ”

“他们像胆小的兔子一样躲起来了。”第二只猫说,“我们捕猎吧。”

鸽翅听到他们迈步走开,寻找猎物去了——属于急水部落的猎物。她伸出爪子在岩石上抓挠着。松鸦羽和狮焰给她讲过,他们上次来这里时已经设立边界,还让入侵猫发誓尊重边界。

但这有什么意义呢? 她愤怒地想。这些泼皮猫不遵循任何守则,怎么可能期望他们老老实实待在边界那边?

她身后响起轻微的脚步声。她以为是部落猫,便站起来,转过身,却惊讶地看到了松鸦羽。

“你是怎样爬上岩壁的? ”她问。她吓得心里直翻腾,因为她很清楚,瞎猫很容易失足掉进水池里。

“慢慢爬呗。”松鸦羽说着抖抖身体,一阵水雾飞溅到空中。他长叹一声,在鸽翅身边坐下来,挥动尾巴,指着他们周围的山峰,说:“壮观吧? ”

“你怎么知道? ”鸽翅惊讶地问。但这几个字刚说出口,她已经知道了答案。她猜松鸦羽一定在梦境中来过这里。于是她又问:“我

们为什么来这里？”

“部落猫也有祖先。”松鸦羽回答说，并用尾巴环绕着脚掌，“杀无尽部落。我想，他们有什么事情要告诉我，是和预言有关的事。”

“如果我们真的星权在握，”鸽翅大声说，“那我们或许也有力量控制急水部落。”

松鸦羽抽抽耳朵：“我想没那么直接。你要记住，尖石巫师有很大的力量，比族长或者巫医的力量都要大。但我相信，我们的使命与急水部落有关。”

“我们以前帮过他们很多。”鸽翅说，“也许现在该他们帮助我们了。”

“也许吧。”松鸦羽表示同意。

他说话时，鸽翅听到了另一只猫向岩壁上爬来的声音。很快，一只肩宽体阔的灰色公猫爬上悬崖顶。他走到松鸦羽跟前，向他点点头：“你好，再次见到族群猫真是太好了。”

“暴毛。”松鸦羽点头回应，“这是鸽翅，白翅的女儿。”

鸽翅眨眨眼睛。此刻和她直面相对的这只猫，在族群猫中几乎是个传奇。暴毛的父亲是雷族猫，母亲是河族猫。他去过太阳沉没的地方，见到过午夜，后来还参加了大迁徙，找到了族群猫在湖区的新家。但他太爱溪儿，所以他离开族群，来到这里陪伴她，把急水部落当成了自己的家。

“湖区怎么样？”暴毛问。他的声音里有一种渴望。鸽翅明白，尽管他决定留在山地，但他的心将永远和族群猫在一起。

“很好。”松鸦羽回答，“上个绿叶季遭遇干旱，湖泊差点干涸。

但鸽翅和一支远征队去把水找回来了。”

暴毛看着鸽翅，他那双琥珀色的眼睛里闪着亮光。“太棒了！一定很不容易吧？”

鸽翅低下头。“大部分时间，我都很害怕。”为了改变话题，她又急切地补充说：“还有一棵树倒进石头山谷，所有的巢穴现在都变样了。”

暴毛点点头，问：“河族怎么样？”

“我想他们很好。”鸽翅告诉他，“但豹星死了。”

暴毛垂下头。“真遗憾。她是很棒的族长。”他顿了顿，又继续说：“那雾星现在是族长了？”

鸽翅点点头：“她也是很棒的族长。”

“是的，星族作出了正确选择。”

“尖石巫师的继任者是谁？”松鸦羽问。他的声音听上去有点焦急，让鸽翅觉得事情可能不像问题本身那么简单。

暴毛摇摇头。“尖石巫师拒绝任命任何一只猫为继任者。”他说，“你可以想象一下全部落对此的感受。”

鸽翅觉得很不解：“为什么会出现这样的事情？”

暴毛转身看着她。“每一任部落巫师的名称都一样，”他解释说，“都叫尖石巫师。通常，下任巫师都是在幼崽时就被选定了，由现任尖石巫师尽可能长时间地亲自培养。现在，全部落都在担心，新的尖石巫师可能还没来得及学会一切，现任尖石巫师就死了。”

“那意味着你们可能没有巫师了！”鸽翅惊讶地说。她知道，尖石巫师既是部落族长，又是巫医。如果没有族长和巫医，急水部落

怎么办?

“杀无尽部落对此是怎么处理的? ”松鸦羽问,“如果他们——”

暴毛猛力甩了一下尾巴,打断他的话,示意他安静。然后,他爬到岩石边上,向下望去。鸽翅滑到他身边。不出一条尾巴远的地方就是瀑布,湍急的水流轰鸣着倾泻而下,落进下面的水池中。

“当心。”暴毛低声警告她。

下面很远的地方,瀑布后面通向洞穴的小径上,一只猫出现了。鸽翅认出了尖石巫师瘦骨嶙峋的身影。“怎么回事? ”她悄悄问暴毛,“也许他想呼吸点新鲜空气? ”

暴毛摇摇头。“除了在崖壁上举行仪式之外,尖石巫师从不离开洞穴。”他解释说,“仪式也不多……通常只在有猫死的时候才举行。他应该一直待在洞里的,在那里接收杀无尽部落的信息。”

“他从不离开山洞? ”鸽翅重复道。突然间,她为那只孱弱的老猫难过起来,可怜他终年被困在那些石头墙和水帘后面。

“从不离开,尤其不能在晚上离开,因为那时星光是最亮的。因此,尖石巫师现在出来是违背祖先意愿,藐视部落法则。”

鸽翅低头看着尖石巫师。他正坐在水池边上,凝视着山地。她不知道他在想什么,为什么对族群猫的到来那么愤怒。如果他知道松鸦羽和鸽翅被赋予了星族的力量,他会有不同的看法吗?

万一那个预言的意思是,我们必须保护所有族群和急水部落的未来呢?

第十二章

狮焰跳到一根倒树的树干上，弓起背，伸了个长长的懒腰，享受着阳光照在金色皮毛上的感觉。树木已抽出嫩芽。一丛丛枯死的棕色凤尾蕨中，嫩绿色的新叶正在舒展开来。树木间鸟鸣声声，灌木下的小动物们也忙个不停。

新叶季就要到了，他想。

他率领的捕猎队走进他身后的空地：炭心竖着耳朵和胡须，密切留意着猎物的动静；蟾步弄出的噪声比一大群獾发出的还响；玫瑰瓣走在最后面。

狮焰从树干上跳进空地里。“没错，这是个好地方。火星让炭心和我帮助你们提高捕猎技巧。”他对两只年轻猫说。

“太好了！”蟾步凝视着狮焰，眼里闪着光，“你还能教我们一些战斗动作吗？”

“可以吗？”玫瑰瓣急切地问。

“下次再说吧。”炭心一甩尾巴，“今天，我们要集中精力捕猎。我们看看可以为族猫们带回多少猎物。”

蟾步看上去很失望。“你打仗是最棒的。”他对狮焰说，“雷族有

你真是太幸运了。我猜，你永远不会受伤！”他还兴高采烈地补充说：“有一天，我也要像你一样，保卫族群，不让任何一只敌猫欺负我们！”

狮焰强忍住叹息。如果他像我那样打仗，会受重伤的。“蟾步，”他说，“你得有自己的战斗方式，不能像我或者任何其他猫。”

“但你打得那么棒，我为什么不能像你一样战斗？”

狮焰尴尬得浑身燥热。他瞥了炭心一眼，发现她正用那双蓝眼睛同情地看着她。

“每一只猫都是脆弱的。”他继续说，“每一只猫都有弱点。要想成为优秀战士，首先必须知道——”

“看我的！”

狮焰打住话头，因为蟾步已经向那棵倒树冲去，伸出脚掌猛击树干，将爪子插进树皮，还用牙齿咬着一根树枝。

“停！”狮焰低吼着跑过去，叼着年轻猫的后颈，将他从树边拖开，“那样投入战斗，是让自己丧命的最快方式！”

他俯身看着年轻武士，蟾步惊愕地仰头看着他。他感觉心底的愤怒就要喷涌出来。他恨那个预言，恨它夺走了他的生活，任意扭曲他，不给他任何选择。如果我能成为一只普通的族群猫，如果我能与炭心在一起，我宁愿不要这些战斗技能。

“嘿，狮焰，放松。”炭心走过来，用尾巴尖拍拍他的肩膀，“蟾步只是热情高涨，就这么简单。”她打趣地瞥了年轻猫一眼，补充说：“但你如果想杀死一棵树，是绝对不会有结果的。”

“对不起，狮焰。”蟾步结结巴巴地说，“我只是想向你显示……”

“我知道。”狮焰抽抽胡须，“记住，每只猫都有弱点，你需要知道自己的弱点是什么。”

蟾步点点头，向空地里退后一两步，眼睛仍然盯着狮焰，仿佛金毛虎斑猫会随时向他扑过来。

“鼠脑子，白痴。”狮焰小声对炭心说，他的声音听上去很温柔，也有些沮丧，“如果他一味学我，最后却连皮都被撕掉，你说我该怎么办？”

炭心会意地点点头。“你能把他训练出来的。”她说。

她的回答让狮焰心里暖洋洋的，他转身看着那两名年轻武士。“对。还是先看看我们是否把森林里的猎物都吓跑了吧。”他说，“你闻到什么了吗？”

蟾步立即抬起头，张开嘴，嗅着空气。玫瑰瓣则在那棵倒树根部嗅着。

“松鼠！”蟾步欢呼道。

“好，但不要嚷得全森林都知道。”狮焰低声说，“关键是不能让猎物知道我们在这里。”

蟾步低下头，用前掌扒拉着地上的枯叶：“对不起，我忘了。”

“松鼠在哪里？”炭心问。

蟾步用尾巴指着一丛黑莓藤。那只松鼠几乎被缠结的刺藤完全遮住了，只有尾巴尖露在外面。蟾步单凭气味就发现它了。

“很好。”狮焰赞许地向他点点头，“现在，我们先看看你们的蹲伏姿势。你们俩都做一下。”

蟾步蹲伏下来。片刻之后，玫瑰瓣走到他身边，也蹲伏下来。狮

焰和炭心用挑剔的目光看着他们的姿势。

“不错。”狮焰告诉蟾步，并用尾巴拍拍他的腰臀部，“把后腿再伸远一点，那样弹跳力更大。”

“玫瑰瓣，很好。”炭心补充说，“你的身体重量平衡得很好。”

“好吧，我们练习协同捕猎。蟾步，这是你发现的松鼠。”狮焰一边说，一边瞟了一眼那只还在原处的猎物，“你直接爬过去。玫瑰瓣，到那棵树那里去。”——他用耳朵指着一棵爬满常春藤的橡树——“如果松鼠想从那条路逃命，你正好将它抓住。”

玫瑰瓣点点头，开始往橡树那里走。蟾步在草丛中滑步移动。当他走到可以向松鼠发起进攻的地方时，一只后掌从一簇凤尾蕨上擦过。松鼠听到轻微的沙沙声，警觉地坐起来，然后飞身跳出黑莓丛，向空地那边逃去，直奔玫瑰瓣所在的橡树。

玫瑰瓣伸出脚掌，但松鼠从离她脚掌一鼠远的地方冲过，往树上爬去。玫瑰瓣一跃而起，在空中转身。但松鼠已早无踪影，只剩下不断摇曳的常春藤。

“该死！”蟾步狂怒地嚷嚷着走过去，“玫瑰瓣，你应该抓到它的！”

“玫瑰瓣，你必须集中注意力。”炭心训诫道。

“是的，任何时候都可能发生任何事情。”狮焰严肃地看着年轻武士，“我们必须随时做好准备。”

“这里能发生什么事？”玫瑰瓣不服气地抽抽耳朵，环顾着宁静的森林。即将抽出嫩芽的树枝已经透出朦胧的绿色。“就连蜜蜂都在睡觉！”年轻母猫嘟囔道。

她的最后一句话被附近传来的凄厉猫叫声掩盖了。“救命！

有狗！”

狮焰突然僵住了："是黄蜂条！"

"去吧！"炭心催促道。看到他担忧地看着两名年轻武士，她又补充说："我会保证他们的安全！快去！"

狮焰从倒树上跳过去，冲进灌木丛，向营地方向跑去。他的心跳加快了，因为他已经听到低沉的狗叫声，还有毫不畏惧的猫叫声夹杂其间。他冲出一丛凤尾蕨，在一片空地边停下脚步。黄蜂条正弓着背站在那里，灰白色的毛直立着。和他鼻子对鼻子的，是一只巨大的黑狗。

"退后！"黄蜂条低声吼道，同时抬起一只脚掌，爪子也伸了出来，"退后！不然我撕烂你的耳朵！"

狗张着血盆大嘴，猩红的舌头从尖尖的白色犬牙中间伸出来，猛地向黄蜂条扑去。狮焰还没来得及采取任何行动，年轻公猫已经箭一般飞跑出去，脱离了身后黑莓丛的掩护。他向空地那边逃去，狗紧追不舍。黄蜂条爬上最近的一棵树，蹲伏在最低的树枝上，向下看着。狗狂吠着跳起来抓他。黄蜂条的尾巴在空中摇摆着，离恶狗致命的爪子不到一只老鼠身长远。

狮焰向前冲去，同时发出尖利刺耳的号叫声。狗停止跳跃，转过身，用一对黄眼睛恶狠狠地盯着他。

"过来，臭狗！"狮焰惊得一跳，一个声音在他旁边响起。他转过头，看到蟾步已经跑到他身边。"来抓我们呀！"

"你该和炭心在一起！"狮焰怒喝道。

蟾步的眼睛闪动着战斗的渴望："我想帮助你。"

“回去！”狮焰边说边用肩膀将他往黑莓丛里推。“黄蜂条，你会没事的。”他向另一只族猫喊道，“尽可能爬高一点。”

他没去看黄蜂条是否照他说的做了。他的全部注意力都集中在狗身上。那家伙一时不知如何是好，不断摆动脑袋，来回看着狮焰和黄蜂条。接着，它张开大口，向空地这边冲来。狮焰听到它大口喘着粗气。

“待在这里别动！”他对蟾步喊道。由于刚才被狮焰用力推了一下，蟾步失去平衡，正在黑莓丛里挣扎着站稳脚跟。狮焰跳到狗的前面，然后突然转向，往空地的另一边跑去，希望可以把狗的注意力从族猫们身上引开。

“不要！”黄蜂条摇摇晃晃地站在那根树枝上，厉声尖叫道，“别去那边，荆棘光在那里！”

“什么？”瘸腿猫怎么可能在森林里？他还没看见荆棘光，但狗的臭气已经喷到了他尾巴上。没时间多问了。狮焰知道自己可以向狗发起进攻，而且不会受伤，但那会暴露太多的秘密，因为蟾步和黄蜂条都正看着他。尤其是蟾步，他必须学会更好地保护自己，而不是盲目地模仿我。

他掉头往回跑时，看到炭心和玫瑰瓣已经来到空地边。两只母猫的眼睛都瞪得大大的，脸上是同样惊恐的表情。

“荆棘光在那边！”狮焰用尾巴指着那边喊道。

炭心惊得倒吸一口凉气。她立即沿着空地边缘向那边跑去。狗迅速改变方向，兴奋地号叫着向她追去。狮焰冲过去拦截它。他缩着爪子，将脚掌从狗的口鼻边擦过，让狗闻到他的气味。然后，他再

退后！不然我撕
烂你的耳朵！
喵！
汪汪汪！
喵！
汪汪汪！

过来，臭狗！
来抓我们呀！
你该和炭心在一起！
回去！

次突然转向，钻进树林，向远离空地的方向疾跑，穿过一片片凤尾蕨，朝湖泊跑去。狗紧紧跟在他身后，他能听到狗呼哧呼哧的喘气声和沉重的脚步声。他可以爬上树，摆脱狗的追赶，但他担心那样的话，狗又会跑回空地。而荆棘光正躺在那里，毫无自卫能力。

他已经可以从前头的树林间看到湖水的微光了。然后怎么办？他在心里问自己。我开始游水吗？他的心狂跳起来，呼吸越来越急促。突然，脚底传来一阵刺痛，他踩到一根刺，但他没有停下来。

一丛黑莓藤出现在他面前。狮焰一跃而起，想从蔓生的刺藤上跳过去。但他跳得不够高，一根刺藤缠住了他的一只脚掌，将他猛地拽落到地上。他惊得大叫一声，骨碌碌向前滚去，直到被一棵树挡住。他想站起来，但刺藤仍然紧紧缠着他。狗已经追上来了。当它看到被困住的狮焰时，两眼立即放出光来。

星族呀，帮帮我！狮焰在心里祈祷。

突然，他头顶上方响起一声号叫。狮焰抬头看去，惊愕地看到蟾步正站在一棵山毛榉树的树枝上。他一定是尾随我们从森林里来到这儿的，像松鼠一样！

黑白毛公猫跳到那只狗面前，狂怒地摆动着尾巴，挑战道："来吧，臭狗！"

狗原地旋转一圈，向蟾步扑去，脚掌踢得草皮和泥土四处飞溅。一想到将亲眼看到族猫被撕成碎片，狮焰力量倍增，挣脱黑莓藤的束缚，在荆棘上留下一团团金色皮毛。他向狗冲去，一口咬住狗尾巴，咬得又狠又准。然后，他转身向湖边逃去。

狗痛苦地低吼一声，向他追去。狮焰回过头，看到狗离他最多

一条尾巴那么远，蟾步紧跟在狗后面。

“快回去！”狮焰大声喊道。但年轻公猫没有理会他的命令。

眼看狗就要追上来，狮焰冲出灌木，奔上湖岸。他想直接跳进水中，但他知道狗会游泳。

我永远没法摆脱它了！

然后，他看到前面几只狐狸身长远的湖边有只雄两脚兽。它张嘴冲树林里喊着什么，一只前掌还挥舞着一根长藤。当它看到狗时，愤怒地吆喝一声。狗滑动脚步停下来，耷拉着耳朵，转过身，向两脚兽的方向走去。两脚兽把那根藤拴在狗的项圈上，把它拉走了。

狮焰看着狗走远，然后转头往回走，在岸边的一丛灌木下与蟾步会合。“谢谢。”他气喘吁吁地说，并沉重地倒在一丛凤尾蕨中，“如果你没来，那家伙肯定已经把我撕烂了。”

蟾步在他身边坐下：“我不能让你独自迎战那条狗。”

“的确。”狮焰意识到，现在正是机会，可以把他一直想阐明的观点说得更清楚些，“这是一次很好的教训，我们谁也不能逞强，独自迎战敌人。协同作战才是更好的选择。”

年轻武士点点头，但仍然好奇地瞪着那双大眼睛。“知道了。不过，你被那根黑莓藤缠住了，但你身上没有一道划伤！”

“我的皮毛很厚。”狮焰很高兴为自己找到了这个借口。然后，他看看自己的侧腹部，补充说：“我被荆棘刮掉了好多毛。”

狮焰和蟾步回到空地时，发现炭心、黄蜂条和玫瑰瓣正围在荆棘光身边。那只母猫正蜷缩着身子躺在一丛冬青下。狮焰猜测，狗

刚出现时，是黄蜂条把她推到那里去的。

狮焰和蟾步走过去时，炭心转过头问："狗走了吗？"

狮焰点点头："被一只两脚兽带走了。"他往冬青下看看，大声喊道："荆棘光，你没事吧？"

"应该没事。你们快把我从这里弄出去吧。"荆棘光说，听上去既难受又尴尬。

"我们不想伤到你。"炭心说，"现在狮焰来帮忙了，我们马上就把你弄出来。"

"哎呀，你们就像拖干树枝一样把我拖出去就行了！"荆棘光不耐烦地说，"你们难道还能再让我受什么伤吗？"

"别着急。"炭心把一只脚掌伸进灌木丛，放在年轻母猫肩膀上，以示安慰。

荆棘光将她的脚掌从自己肩上抖下去。"我没想到会遇到这么多麻烦！"她哀号道，"但我再也无法忍受成天被困在那个巢穴里了。"

"都是我的错。"黄蜂条承认说，"是我带你来这里的。"

狮焰看着年轻武士，被他对同窝手足的情谊深深打动了。从营地把荆棘光拖到这里，一定是很难的事情。

"黄蜂条，我不会让任何猫责备你的。"荆棘光坚决地说，她的声音又高又尖，"是我说服你这样做的！"

这样争下去没用，狮焰想。看到两只猫都动了感情，他觉得心里很难过，急忙补充说："我们需要把你们两个都带回营地。"

狮焰和炭心合力轻轻将荆棘光从冬青丛里拉出来。狮焰蹲伏下来，其他猫将荆棘光放到他背上。他站起身，但由于背上的重量，

他的身体有点摇晃。黄蜂条和蟾步在两边支撑着荆棘光。大家一起向石头山谷走去。

“那里有些百里香。”炭心用尾巴指着几片长在岩石下的绿色叶子说,“可以让你镇定下来,荆棘光。如果你回去后肌肉痛,它也会有帮助。”她说着向药草走去,采了几片叶子回来。

“谢谢你,炭心。”荆棘光边嚼药草边说,“你懂得很多药草知识。”

当他们看到营地入口时,炭心停下脚步。“狮焰,我们歇一会儿吧。”她转动耳朵,指着一个小水坑。有一小股水从几块岩石间渗出来,流进那个水坑。“我们大家都喝点水吧,感觉会好一些。”

狮焰走到水边,把荆棘光从背上放下来,让她也喝一点。当每一只猫都舔了几口水之后,他说:“蟾步、玫瑰瓣,你们先回营地。如果我们一起回去,会引起更多不必要的大惊小怪。”

“狗的事情也没必要提起。”炭心补充说,“我觉得它不会回来了,所以没必要让每只猫都担心。”

两只年轻猫正要走时,狮焰又说:“蟾步,你今天表现得很勇敢。”

“谢谢,狮焰。”年轻武士激动地说。

“你还上了很好的一课,懂得协同作战的重要性了。”狮焰继续说,“记住,没有哪名武士需要成为英雄。最英勇的壮举都不是一只猫完成的。”

蟾步严肃地点点头,然后跑步跟上玫瑰瓣,钻进荆棘通道。

“感谢星族。”狮焰悄悄对炭心说。能和她说说话也是一种安慰,因为她理解他的担心,知道他生怕别的猫会盲目模仿他的行为。“我想,他明白我的意思了。”

炭心低声表示同意，然后转向荆棘光。她还在舔小水坑里的水喝。“你到离营地那么远的地方去干什么呀？”她轻声问。

“我想找药草。松鸦羽不在，我想帮助叶池和亮心。”荆棘光的眼睛里透着坚强，但她随即又呜咽起来，“我只是想让自己有点用处！”

狮焰心里刺痛起来，对这只母猫感到深深的同情。

“我知道，我不会好了。”荆棘光继续说。她的声音平静下来，用爪子撕扯着水坑边的苔藓。“但我——”

“现在还不能下定论。”炭心打断她的话，“治疗刚开始不久。”

荆棘光摇摇头：“不，我知道。而且我将不得不找到一种方式，就这样生活下去，像半只猫一样。”

“你不是半只猫！”黄蜂条抗议道，并用尾巴尖抚摸着姐姐的侧腹，“你只是……和我们不一样。”

“是不一样，是比你们都差。”荆棘光理直气壮地说，“我不明白的是，我对族群什么贡献都没有，族猫们为什么要照料我。我不是长老，我没有把一生都用于捕猎和战斗，我没有什么值得犒劳的。我只是一个徒有虚名的武士罢了。”

“我们能找到办法让你发挥作用的，荆棘光。”炭心严肃地说。然后，她看了狮焰一眼，又补充道：“你的确与众不同。因为你比我认识的所有其他猫都更坚强，更勇敢。”

荆棘光激动地瞪大眼睛。

“我不能向你保证说，情况一夜之间就会发生变化。”炭心提醒她说，“但我会跟火星谈。松鸦羽回来后，我也会跟他说。他们会安

排你做事的,适合你做的事。”

“但你不能再悄悄离开营地了。”狮焰补充说。

年轻母猫点点头:“我保证。”

“这次,”炭心说,“我们只说你走得不远。我们不会提起遇到狗的事!如果米莉听到什么风声,她绝不可能让你再离开窝半步。”

“好吧。”荆棘光表示同意。

“我会提醒玫瑰瓣和蟾步,让他们别多说这事。”狮焰插话说。

“我真的很抱歉,我首先就不该把她带出营地。”黄蜂条说着爱怜地舔舔姐姐的耳朵。

“不,你做了件好事。”狮焰说,“你尊重了姐姐的想法,其他族猫却事事为她做主。”

黄蜂条在姐姐身边蹲伏下来,把她的前掌绕在自己脖子上。“我们送你回家。”他说着开始将她往石头山谷的方向拽去。

狮焰看着姐弟俩缓慢向前移动,为受伤的母猫心痛不已。他对炭心说:“你刚才说得太好了,你给了她希望。”

“你也是。”炭心回答说,“真高兴不用亲眼看着你和那条狗战斗!”

“那还得感谢星族!”突然间,狮焰仿佛又听到了那条狗的狂吠声,感觉到狗的臭气吹到他的皮毛上,“你知道的,我不是为了好玩才打仗的。”

“真高兴你不是。”炭心喃喃说道。

“嗯,”狮焰尴尬地说,“我还是去看看黑莓掌是否需要派我出去捕猎吧。”

“我也去。”炭心表示同意。

他们并肩往荆棘通道里走，灰毛母猫和他靠得很近。狮焰迟疑了一下，对他们就这样皮毛相擦有点紧张。炭心好像也有点尴尬，正用力往通道里挤。走进营地后，狮焰看到黄蜂条正轻轻把荆棘光放在巫医巢穴外。米莉从武士巢穴冲出来，向她跑过去。

“你去哪里了？”她问，并在荆棘光身边蹲下来，急切地舔着她。

“我只是想出去一下。”荆棘光回答说，“说实话，我很好。”

狮焰和炭心交换了一下眼色。

“她会没事的。”灰毛母猫说。

“你确信？”

“确信。”炭心坚定地说，“她是我的族猫。”

当狮焰走向武士巢穴去找黑莓掌时，她又补充道：“嗯，狮焰，你对蟾步说的话不对。在许多猫的心目中，你就是英雄。”

第十三章

松鸦羽四周黑影幢幢，他还能听到远处那些看不见的猫的哀号声。你们在哪里？你们想让我做什么？

但没有任何回答，只有悲鸣声不绝于耳。渐渐地，远处的哀鸣声被瀑布的咆哮声取代了。松鸦羽听到了耳语声，而且是从很近的地方传来的。模糊的猫影在黑暗之中越发看不清楚，他从断断续续的睡眠中醒来。

"别担心，晨雀。"松鸦羽听到是幼崽岩松的声音，"他的眼睛是瞎的！他不会知道我们在向他靠拢。"

哦，他不会知道吗？

松鸦羽绷紧肌肉，探测到有小脚掌正在石头洞底上移动，还听到抑制住的笑声。他等待着，直到他们的气味变得更浓，感觉到他们呼出的热气吹拂着他的胡须。

"你们在找什么？"松鸦羽说着跳了起来。

两声尖厉的号叫在洞穴里响起，他满意地听到了小脚掌从他身边跑开的声音。

"妈妈，那只怪猫吓我们！"

“他想吃我们！”

松鸦羽的满足感消失了，他尴尬得浑身发烫。他们还很小，他们只是闹着玩。

“对不起！”他喊道，“我不会伤害你们的，小家伙！”

但他仍然能感觉到幼崽们的恐惧，还听到溪儿的声音从洞那边传来，她在安抚幼崽们。

“该死！”他嘟哝道。

“我才不会为他们担心呢。”另一个声音在他身边响起。松鸦羽想了想，应该是狩猎猫怒枭的声音。“我看到他们想偷袭你，他们也该学学如何尊重其他猫了。”他要走开时，又补充说：“他们也不容易。他们身体健康，性格活泼，但在成为半大猫之前，是被禁止到洞外去的。”

松鸦羽点点头，提醒自己稍后向溪儿道歉。他从睡觉的石头坑里爬出来，开始梳理皮毛，还气恼地骂着那些粘在他皮毛上的毛茸茸的羽毛。

每天都让我睡在苔藓窝里吧！

“嗨，松鸦羽！”鸽翅兴奋的声音打断了他的沉思，“鹰崖邀请狐步和我跟他们一起去边界巡逻。”

松鸦羽可以感觉到，她很急切地想走出山洞去探险，就说：“好呀。但要当心，而且别忘了把耳朵竖起来。”

鸽翅叹息一声：“我一直都没忘。”

松鼠飞和溪儿一起走过来。两只幼崽跟在她们身后。松鸦羽可以想象他们正瞪大眼睛偷偷打量他，而且一直躲在母亲身后的安

全处。

“溪儿和我要去捕猎。”松鼠飞说。

“暴毛也要去。”溪儿补充说，“松鸦羽，鹰爪和驭风鸟会照看幼崽，他们不会再来打扰你了。”

“我们不想待在洞里。”晨雀尖声喊道。

“对，那只瞎猫可能又要吓我们。”岩松补充道。

“胡说！”暴毛说着走过来，“是你们惊扰了松鸦羽，你们应该向他道歉。”

“对不起。”岩松嘟哝道。

“我们不会再那样了。”晨雀说。接着，她又悄悄对弟弟说：“不过，那很好玩！”

“我们不在的时候，”暴毛继续对幼崽们说，“你们可以请鹰爪给你们讲尖牙的故事，还有我第一次和族群猫一起来山地的故事。”

“好的！”晨雀蹦蹦跳跳地说。

“那是最好听的故事！”岩松尖声喊道。接着，两只幼崽向长老们的窝那边跑去。

松鸦羽从洞里井然有序的忙碌声中，听出捕猎巡逻队已经集合完毕准备出发了。没有猫向他们下达命令，他们好像都知道该做什么，知道自己的职责是什么，不需要部落的资深成员告诉他们。

尖石巫师在哪里？他不应该监督指导这一切吗？

但洞里没有这位部落老巫师的迹象，松鸦羽甚至没闻到他的气味。

松鼠飞和她的捕猎队准备出发时，她问松鸦羽：“你留在这里

不会有事吧？”

“当然不会。”松鸦羽回答。他真不明白，松鼠飞为何要问这个问题。我在这里不会受到什么伤害。他能感觉到松鼠飞的尴尬，不知道她为何还在这里磨蹭，溪儿和暴毛已经在瀑布边等着她，准备踏上那条通往山上的小径了。

过了一会儿，她轻声问：“松鸦羽……你知道我们到这里来的原因了吗？”

松鸦羽摇摇头。“还没有。”他承认道，“我不知道。”

松鼠飞强忍叹息，松鸦羽知道她还想问其他的。但就在这时，溪儿在洞那边喊她了。

“来了！”松鼠飞答应道，“我们稍后再聊。”她说完就跑出去了。

捕猎巡逻队离开之后，洞穴内安静下来，只有瀑布还在咆哮。松鸦羽已经开始适应这种声音了，几乎感觉不到它的存在。这里和我们的营地很不一样，他想，这里总是有事情在发生，甚至捕猎巡逻队不在的时候也一样。他继续梳理皮毛，这时他听到两只幼崽又开始向洞穴中央跑去。鹰爪和驭风鸟慢吞吞地跟在他们身后。

“好吧，我们来做一个游戏。”鹰爪抬高声音，压住幼崽们的尖叫声，“这团羽毛是一只鸟。”

“什么鸟？”晨雀说，“和我一样的云雀吗？”

“是老鹰！”岩松建议道。

“它是什么鸟不重要。”鹰爪告诉他们，“我们就当它是只乌鸦，好吗？你们俩来把它抓住。”

“好！”松鸦羽听到一阵忙乱的脚步声，知道岩松已经试着扑向

羽毛。

“等等。”驭风鸟用更轻的声音插话说，“没那么容易，你们必须跳过这几块石头去抓乌鸦。” 松鸦羽听到鹅卵石在洞底滚动的声音。“如果你们碰到石头，弄出声音，乌鸦就会飞走。”

“噢，好酷！”晨雀欢呼道，“我保证能行。”

“我也行！”岩松宣布说，“我将成为狩猎猫。”

松鸦羽没再继续关注幼崽们的游戏，而是穿过洞穴，向通往尖石洞的那条通道走去。他越往前走，通道就变得越狭窄。没走出几步，他就跌跌撞撞地撞到一处洞壁上，脚下的石头地面又湿又滑，他差点滑倒。

他嘶鸣一声，很讨厌不得不在狭窄的通道中艰难地穿行。隆隆的瀑布声掩盖了其他所有的声音，他根本无法从滴水的回声中辨别出自己的位置。他重新站稳脚跟，更慢地往前挪动。脚掌底下每走一步的感觉都是一样的，这让他更加沮丧。他想念起森林来。在那里，地上的苔藓、小树枝、蕨类植物和草，都会让他准确地判断出自己的位置。

最后，松鸦羽感觉到通道两边的石壁向后退去，他进入了一个稍大一些的洞穴。从这里听去，瀑布的声音变弱了，而滴水声则更加响亮。他感觉到清冷的空气正拂动着他的胡须，知道那是从洞穴顶部的一个洞里流入的冷空气。月光和星光可以从那里照进来，带来杀无尽部落的信息。他嗅闻着空气，发觉尖石巫师在洞的另一边。

“谁在那里？”老猫低声吼道。松鸦羽还没来得及回答，他又说：“噢，原来是你。”

松鸦羽绕过石头和一个个水坑，一直走到尖石巫师面前。

“你来这里干什么？”尖石巫师低声吼道，“别再说是想丰富你们年轻猫的经历。你还是对我说实话吧。”

松鸦羽字斟句酌地说：“我是被召唤来的。”

令他惊讶的是，尖石巫师没问召唤他的是谁。“我们不需要帮助。”巫师固执地说，“你们做不了什么。”

“你还没选继任者。”松鸦羽大着胆子说，“那是因为你不相信急水部落没有你也能生存下去吗？”

尖石巫师傲慢地哼了一声。“他们的生存并不依靠我，即使我活着，也帮不上他们什么。”他还苦涩地补充说，“我们的祖先也一样。”

松鸦羽知道，老猫感觉被杀无尽部落背叛了，因为入侵猫到山地时，祖先们拒绝指引他。“但急水部落必须要被给予生存的机会！”他抗议道，“如果第一次碰到困难就放弃，也太懦弱了。”

“这已经不是第一次！”尖石巫师怒喝道，“你忘记了吗，许多部落猫曾被尖牙像猎物一样捕杀？还有我们与寒冷和积雪永无止境的搏斗？危险的老鹰意味着一半部落猫必须担任警戒，另一半才能进行捕猎。如果没有老鹰，我们可以捕到两倍多的猎物。猫后甚至不能安心养育幼崽，她们生产之后就不得不出去捕猎。”他狂甩着尾巴，“猫不属于这里！”

尖石巫师说话的同时，松鸦羽渐渐感觉到，一缕微弱的亮光正从上面照射下来，照亮了一面洞壁。洞壁上终年有水流过，所以很光滑。一根矗立在洞底的尖尖的石柱与洞顶垂下的一根尖石柱在半空中相互对峙，石柱尖之间的距离不足一只老鼠身长。如果他能

看见，如果这不是在梦里，这只可能意味着一件事……

他兴奋得浑身刺麻起来，因为他在一束月光中看到了岩石的身影。那只无毛远古猫低着头站在那里。然后，他抬起头，用他那双失明的眼睛看着松鸦羽。

“我们属于这里，”他瓮声瓮气地说，“这里曾经是我的家。猫儿们后来才去湖边生活的，然后又回到这里从头开始。”

尖石巫师没有什么反应，他不知道这只远古猫在他的洞穴里。松鸦羽张嘴想提问，但他还没来得及说话，岩石又继续说下去。

“我就是第一任尖石巫师。不过，在我的至亲们离开这里去寻找那个湖时，我的传说就已被遗忘。如果急水部落离开这里，它终将不复存在。部落猫必须永远在这里生活。”

“你是第一任尖石巫师？”松鸦羽耳语道。但那个幻影已经开始消失，他眼前重新变得漆黑一片。

“当然不是。”尖石巫师听上去很迷惑，“我是被我的老师选中的。”

“那你必须选择另一位尖石巫师！”

“为什么？”尖石巫师反问道。

松鸦羽沮丧地用爪子抓挠着潮湿的地面。“因为猫儿们必须永远在山地生活。”

“的确有猫生活在山地呀。”尖石巫师生硬地说，“而且他们好像生活得比我们还成功。所以我们每天必须浪费时间巡逻，让那些入侵猫远离我们的猎物。”

“但那些不是注定要生活在这里的猫！”松鸦羽反驳说，“不是

杀无尽部落把他们带来这里的！”

尖石巫师不屑地哼了一声。“我只想和平安宁。”老猫嘟哝道，他的声音听上去是那么苍老和疲惫，“我引以为豪的东西都没有了，急水部落的时代过去了。我死后，我的族猫们将离开山地，到他们觉得安全的地方寻找新家园。”

老猫的话音刚落，松鸦羽耳朵里突然充满了瀑布的咆哮声，眼前全是飞溅的白色水沫。自己在瀑布里面！一时间，他僵住了，等待着自己被流水冲走，像一片落叶一样在水流中翻滚，但他却清楚地感觉到自己正牢牢地站在石头地面上。

然后，他吓得倒吸一口凉气，差点被噎住：周围的水流中全是猫。他们的脚掌和尾巴都在无助地摆动着，嘴巴张得很大，发出无声的尖叫。他们一直往下落，往下落，最后掉进一个泛着白沫的黑色水潭中，消失了。

但是……我认识这些猫！松鸦羽开始颤抖起来。那是黄牙……还有钩星……和狮心……星族被毁灭了吗？

雾星……隼翅……还有部落猫，溪儿……鹰崖……

“不！”突然，松鸦羽惊得气都喘不过来。他看到火星了，雷族族长变成了一团橙色皮毛，在激流中翻卷。

尘毛……鼠须……黑莓掌……

他的所有族猫，以及部落猫，都在纷纷往下落，被那潭黑水吞没。

当松鸦羽看到狮焰被水流从他身边冲过时，他尖叫一声，跳上前去，伸出爪子拽住哥哥的皮毛，将他拉到安全处。但紧接着，幻象再次变得一片漆黑，松鸦羽发现自己还在尖石洞里。他惊恐万分，

跌跌撞撞地向前走，一头撞上一根石柱，脚底一滑，摔倒在一个水坑里。

尖石巫师开口说话了，但松鸦羽没听他在说什么。他从水坑里爬起来，拔腿就往洞外逃，成功进入了通往大洞穴的通道。他在狭窄通道两边的石壁之间东倒西歪地往前挪动，最终回到了大洞穴里，站在那里直喘气。洞里阴沉沉的，空气凉爽，银色日光从水帘中照射进来。洞里有一群猫，有的正在不安地团团转，有的瘫倒在洞壁边。一时间，松鸦羽还以为捕猎巡逻队回来了。

就在他竭力平缓呼吸，让狂乱的心跳慢下来时，他突然意识到他正在看着洞里的猫。

这又是幻象吗?

他还在通道口迟疑时，一只年轻的白毛母猫从山洞那边冲过来，滑动脚步停在他身边，她惊愕地张着嘴。

“松鸦翅！”

松鸦羽凝视着她：“半月！”

他的视线慢慢清晰起来，洞里的猫看上去都似曾相识。他慢慢回忆起一张张面孔，思绪回到他从雷族营地下方的地道口钻出来的时候。那时还是远古猫时代。他们已经在湖区生活了很长时间，他们的脚印布满了通往月池的小径。

我和他们在一起时，他们决定离开，因为在湖边生活太危险。我告诉他们可以在山地找到新家。现在，他们都在这里！

半月还在凝视着他。她那双绿眼睛瞪得溜圆，像两个小月亮。“我们从湖边出发，踏上大迁徙征程时，你消失了。我还以为你不想

再和我……和我们一起生活了呢。”

松鸦羽竭力抑制住心底的惊慌，但各种思绪在他脑海里翻腾，像被捕猎队围攻的四处跳蹿的老鼠一样。“我留下了，我很害怕。”他脱口而出，“但你们都走了之后，我觉得好寂寞，又决定去追你们。”

半月眨眨眼，她的眼睛湿润了：“你……你甚至没和我道别，我还以为再也见不到你了呢。”

松鸦羽还没来得及回答，就看到了石歌——那只率领远古猫离开湖区的强健灰毛公猫。他正和闪电一起站在洞穴中央，离松鸦羽不远。松鸦羽听到他们在低声交谈。

“我仍然相信来这里是正确的。”石歌说，“在原来生活的地方，我们失去的猫太多了。獾，两脚兽——”

“那些都能应付。”闪电一甩黑白相间的尾巴，打断他的话，“但我们在这里就活得更好吗？我们大家都饥肠辘辘，疲惫不堪。我这辈子从没这样冷过。我和枭羽还把幼崽带到了这里，黑须却没能走完大迁徙。”他有点挑衅地补充说：“如果我们留在湖边，他就不会在山脊上被暴风雪刮走了。”

石歌低下头，低声说：“也许我们应该庆幸只失去了一只猫。”

“你向怯鹿去说这个吧！”闪电没好气地说，“她正怀着黑须的幼崽呢！她将怎样独自在这个冰冷的巢穴里把幼崽养大？”

石歌一脸茫然，好像不知道说什么好。幸好这时升月匆匆走到他面前，急切地说着什么，还用尾巴指着躺在洞壁边的那些猫。

“追云刚刚带了些猎物回来。”她说，“但怯鹿就是不吃。云日的脚垫在流血，奔马说暴风雪一停，他就要回湖区去。”

"怎么样？"闪电耷拉下耳朵，"石歌，你必须承认，这完全就是一场灾难。"

石歌疲惫地叹息一声，反诘道："我不会。升月，暴风雪一停，你就去找一些酸模叶回来，把云日的脚垫治疗一下，可以吗？我会和奔马谈的，无论如何也不能让一名长老独自在山地里游荡，他心里其实也很清楚这点。至于怯鹿，我们必须给她时间，让她慢慢走出悲痛。"

闪电正要回答，但一声兴奋的吼叫从洞那边传来，"松鸦翅！"

松鸦羽看到鱼跳了，就是那只年轻虎斑公猫，在湖边时一直把他当好朋友对待。鱼跳从洞那边大步跑过来，亲热地用脑袋碰碰松鸦羽的肩膀。"你去哪里了？"他问，"我们还以为失去你了呢。"

"我……呃……我改变主意了。"

松鸦羽意识到，石歌已经看到他了，正往他这边走来。闪电和升月紧跟在他后面。微风跑过来，想看看出什么事了。在洞口光线的照射下，她那身银色虎斑皮毛闪着微光。其他猫都安静下来，默默看着松鸦羽，他感觉浑身的毛正一根根从皮上脱落下来。

"太妙了！"半月脱口喊道，"松鸦翅回来了！"

石歌怀疑地眯起眼睛，上下打量着松鸦羽。"你是怎样到这里来的？我们大家一起走，这次迁徙也够难了。一只猫独行，难度可要大得多。"

"这重要吗？"鱼跳说，"反正他现在到这里了。"

松鸦羽耸耸肩："大多数时候，我都跟着你们的脚印走。其他路程我是瞎猜的。"

我仍然相信
来这里是正确的。

在原来生活的地方，我
们失去的猫太多了。
獾，两脚兽——
但我们在这里
就活得更好吗？
也许我们应该庆
幸只失去了一只猫。

你去哪里了？
我们还以为失去
你了呢。
我……呃……
我改变主意了。

你是怎么进到洞里来的？
我不喜欢你这样偷偷摸摸的。

我没有！

是你们太累了，没看
到我。这可不是我的错。
我觉得正好可以趁机
探查一下这些更小的洞穴。
我们也许可以用上它们。

“你是怎么进到洞里来的？”闪电不解地问，“应该有猫看到你呀。我不喜欢你这样偷偷摸摸的。”

“我没有！”松鸦羽辩解道，他感觉到身上的毛竖了起来，“是你们太累了，没看到我。这可不是我的错。”为了尽快改变话题，他又急忙补充说：“我觉得正好可以趁机探查一下这些更小的洞穴，我们也许可以用上它们。”

松鸦羽注意到，半月已经悄悄走过来，站到他旁边，仿佛准备替他辩护。她香甜的气息扑鼻而来。他回忆起，当初他抛下她，回到自己的时代时，心里多么空虚。

微风用肩膀推推他：“那你在小洞里发现什么了吗？”

“呃……后面这个洞里有很多尖石头。”松鸦羽回答，“还有水坑。这里不是睡觉的好地方，洞顶上还有一个窟窿。”

石歌问：“另外那个呢？我们可以把它当巢穴吗？”

松鸦羽急忙瞥了一眼通向尖石巫师巢穴的那条通道。“嗯……呃……那个洞不错。”他回答道。如果尖石巫师都能在那里睡觉，说明那个洞至少是防水的。

石歌伏下耳朵，指着洞那边。追云正在那里梳理他那身灰白皮毛中的冰碴。“你也看到了，暴风雪还没过去。”他说，“我们等着它停下来的这段时间，可以让自己更舒适一些。”

“舒适？”微风脖子上的毛开始直立起来，“你如果觉得哪只猫在这里会舒适，那你一定是疯了。”

“我们根本不该离开湖区的。”一个悲痛、疲惫、沙哑的声音从洞边的阴影中传来，断影一瘸一拐地走出来。松鸦羽感到一阵难

过。落叶的母亲比他上次见到时显得更加憔悴，橙色的皮毛稀稀拉拉地贴在身上，琥珀色的眼睛黯然无光。

“我们根本不该离开的。”她又说了一遍，“万一落叶找到路从地道里出来了，我们却不在那里，怎么办？”

半月走到她身边，轻轻用尾巴抚摸着她的侧腹，小声说：“不会出现那种情况的。”

“你怎么会知道？”断影嘶声说道，“他会以为我不要他了。他会很孤独的！”她挣扎着从半月身边走开，转向松鸦羽：“这都是你的错！都是你造成的！你让我抛下了自己的儿子！”

第十四章

鸽翅正从一条狭窄的冲沟里往上爬，她的脚掌在硬邦邦的雪地上直打滑。她气喘吁吁地说:“真不知道我怎么会想要离开湖区!简直无法相信有的猫会在这里生活！”

狐步在她前面一条尾巴远处,也在哼哧哼哧地往上爬。他只嘟哝了一声作为回答。这两名雷族猫几乎是在这支捕猎巡逻队的最后面,只有一只护穴猫栗鹰爪走在他们身后。她在冰上稳步走着,边走边向四处张望。暴毛和另外两只狩猎猫——灰蒙和鱼跃斑,排成一列走在前头。鹰崖在最前面。在漫天大雪中,鸽翅只能隐约看到他们的身影。

森林里几乎都到新叶季了！她颤抖着想。

突然,一个身影出现在她身边。“你没事吧?想在我肩膀上靠一会儿吗？”

鸽翅听出是暴毛的声音。“不用,我没事。”她喘着气说,“我能继续走。”

暴毛点点头。他的目光温暖友好,琥珀色的眼睛像白色荒野中的两颗小太阳。“如果需要,就告诉我。”

“他们还没学会在雪地里走路。”鱼跃斑说着停下来，让暴毛、狐步和鸽翅追上去。“别担心。”她又笑着补充说，“不知不觉中，你们就变成雪地猫了。”

“我现在就是只雪猫了！”狐步颤抖着说，边将皮毛上的积雪抖掉。

鸽翅从另一条沟里爬出来，心想：但愿松鸦羽已经弄清楚我们到这里该做些什么，然后我们大家就能回家了。

幸好，现在雪已经小了，只有零星的雪花还在空中飘舞。后来，雪停了，乌云渐渐被风吹散。他们越往前走，冲沟两边的石壁就越来越低。最后，猫儿们站到了一座光秃秃的山峰顶上。刚刚从冲沟里的遮蔽处爬出来，鸽翅便大惊失色。狂风像荆棘一般直往她喉咙里灌，风力大得几乎将她刮倒。她用爪子紧紧抓住地上的冰雪，抬起头，环顾四周。周围是无尽的山峰，白雪皑皑。尽管山峰的形状和荒野的色彩看上去都很美，但这里一点不像家。

“看！”

鹰崖的一声惊呼把鸽翅吓得一跳，她循着护穴猫的目光看去，发现两个很小的点，正在他们头顶的苍白色高空中旋转。

“那是什么？”狐步问。

“老鹰来了！”栗鹰爪的声音很紧张。

那两个点越来越大。鸽翅意识到，它们正在盘旋而下，目标正是他们这群猫。

“我们应该怎么办？”她竭力抑制住心里的惊慌问道，并四处寻找遮蔽处。狐步已经蹲伏下来，伸出爪子，好像准备投入战斗。

“这边！”鹰崖和栗鹰爪将两只族群猫推回冲沟里，将他们掩护在一块突出的岩石下。暴毛、灰蒙和鱼跃斑在他们身边蹲伏下来，鹰崖和栗鹰爪在突出的岩石外围守卫。他们已经伸出爪子，龇出牙齿。

不一会儿，老鹰就俯冲下来。当它们宽大的翅膀从岩缝上拂过时，鸽翅瞥到了老鹰怒视的黄眼睛和凶恶的弯喙。然后，老鹰愤怒地尖叫着飞走了，它们的叫声在群山中久久回荡。

“它们是我们的猎物，可它们却在进攻我们！”鸽翅大声喊道。

“我们很少捕猎老鹰。”鱼跃斑平静地解释说，“但我们捕猎老鹰捕食的猎物，比如野兔、老鼠和小一些的鸟。”

“我们是竞争对手。”灰蒙补充说。

鸟是不会尊重边界的。鸽翅突然意识到这点，打了个寒战。

鹰崖从悬垂的岩石下往外张望。“它们走了。”他报告说，“我们继续走吧。”

鸽翅大着胆子从岩石下走出来，感觉自己完全暴露在毫无遮蔽的天空下，忍不住想象老鹰残忍地将爪子插进她的肩膀，带着她飞上天空的情景。她从那座山峰上走过，走进另一边的冲沟时，不停地抬头张望，试图将意识发送出去，追踪到老鹰的位置。

但她感知到的下一件事情是：她脚掌下的地面塌陷了下去。她惊慌地大叫一声，又马上闭上嘴，因为她已经落到柔软的积雪上了。她迷惑地眨眨眼睛，意识到自己只是掉进了小径上的一条窄缝中。狐步正低头看着她。在天空的衬托下，他的头和耳朵的轮廓异常清晰。

“你没事吧？”他焦急地问。

鸽翅挣扎着站起来。雪太软，她站立不稳。她喊道：“我没事。”然后，她看着四周陡峭的石壁，又补充说：“但我可能没法上去。”

“没事，别紧张。”狐步还没来得及开口，鹰崖轻快自信的声音响了起来，“我们把你弄出来。”

怎么弄呀？鸽翅无助地想。她想起了冰云掉进洞里的情景。他们用了一根树枝和一条常春藤才把她拉起来，但这里没有树枝和常春藤！

“我去吧。我个子最小。”鱼跃斑说。她趴在石缝边上，用前掌紧紧抓住石壁顶部，将尾巴向鸽翅伸下来。“你能咬住我的尾巴吗？”

“但我会伤到你的！”鸽翅惊呼道。

“不会，没事的。”鱼跃斑安慰她说，“快咬住吧。”

鸽翅尽可能支起身子，用牙齿咬住鱼跃斑的尾巴。幸好，石壁不像她想象的那样陡峭，有些地方可以落脚。她尽量稳住身子，至少不让鱼跃斑的尾巴承受她的全部体重。

当鸽翅沿着石壁爬出石缝，侧身倒在地上时，看到鹰崖和暴毛正从两边支撑着鱼跃斑。“谢谢你！”她喘着大气说，“真的很抱歉！”

鱼跃斑舔了几下自己的尾巴，回答说：“不客气！我没受什么伤。”

“以后我走路时，一定不会乱放脚掌了。”鸽翅承诺道。她颤抖着站起来，身上全是雪和砂粒，她感觉自己再也不可能干净暖和了。

“你想回洞穴去吗？”暴毛问，“鱼跃斑可以陪你回去。”

鸽翅摇摇头。她不想成为负担，也不想让捕猎巡逻队只剩下一只护穴猫，尤其附近还有老鹰。“不用，我可以继续走。”她坚持道。

狐步走过来，飞快地在她耳朵上舔了一下，悄悄说："如果需要帮助，告诉我。"

鸽翅浑身肌肉酸疼，脚垫也因为从石缝中往外爬时被磨得生疼，但她顽强地跟上了其他猫的步伐。鹰崖领着捕猎巡逻队顺着冲沟往前走，翻过一道山脊，在一根高高的石柱前停下来。一条狭窄的小溪从两块岩石间潺潺流过，蜿蜒流向远方。水面已经结冰，但鸽翅能听到下面的流水声。

鹰崖用耳朵指着石柱，对族群猫们说："这是一个边界标志。灰蒙，你更新一下气味标记，好吗？"

在他们等待灰蒙更新标记的时候，鸽翅眺望着远处绵延的小山。风猛烈地吹着她的皮毛。"下一个标志在哪里？"她问鹰崖。

护穴猫用尾巴指着一个方向说："你看到那棵死树了吗？就在小溪边，那就是。"

在山谷那边，相当于雷族营地和影族边界之间的距离，有一棵很矮的小树，紧贴在一道狭窄冲沟边上。鸽翅惊愕地凝视着鹰崖，她还没意识到急水部落的领地有这么大。"但那太远了！你们怎样检查边界的？巡逻一次肯定需要一整天时间。"

"我们只巡逻某些部分。"栗鹰爪解释说，并走过来站在鹰崖旁边，"别的组负责保护边界的其他部分。"

鸽翅点点头，心里想，如果这样的话，敌猫很容易弄清楚每支捕猎巡逻队之间的空当。她将意识发送出去，几乎立即就听到了远处那些猫的声音，在边界那边。

他们一定就是部落猫们一直说到的那些入侵猫，但他们现在

听上去好像没有威胁。他们在捕猎，但没有入侵急水部落的领地。

突然，她听到了一只老鹰沙哑的叫声，顿时紧张起来，本能地抬头望去。但那只大鸟还只是天空中的一个斑点，离捕猎巡逻队远着呢。她听到更远的地方有一窝小鹰的呼唤声，她瞥了它们一眼，光秃秃的，瘦骨嶙峋，在山顶的一个窝里。

然后，鸽翅听到一声更近的刮擦声，她辨别出是野鼠的声音。那家伙正在结冰的小溪边的苔藓中穿行，被一块悬垂在岸上的冰遮住了。她还能闻出它的气味，但很微弱，被雪的清新气息掩盖了。

“野鼠！”她低声喊道，向小溪跳去。

但令她惊愕的是，暴毛一掌将她打向一边，鸽翅趴在了水边的冰上。

“这是怎——？”她边说边从地上爬起来。

“如果你掉进小溪，会被冻死的，这很危险。”暴毛解释说，“如果我刚才伤到了你，对不起。”

鸽翅摇摇头：“我没事。”他的意思是说，我把身上打湿了就会死吗？“但那里有猎物。”她补充说。但她估计其他猫都没听到野鼠的动静。她再次倾听，意识到野鼠已经没在动了。该死！它听到我们了，这会让我们更难抓到它。

灰蒙和鱼跃斑走过来。他们都竖着耳朵，张开嘴巴，捕捉猎物的微弱气息。“你真棒，竟然发现它了。”鱼跃斑悄悄对鸽翅说，“你现在能听到它吗？”

鸽翅再次将感知力发送出去，最后终于听到微弱的脚步声，知道野鼠又开始活动了。她没说话，只是向岸边她认为野鼠隐藏的地

方点了点头。

“就在那岸下。”灰蒙悄悄说，鱼跃斑点点头。

两只部落狩猎猫在野鼠两边各就各位，用强壮精瘦的前腿向积雪中挖去。鹰崖和栗鹰分列两旁，为族猫站岗。

“护穴猫和狩猎猫一起行动。”暴毛向鸽翅和狐步解释说，“看到他们是怎样监视天空的了吗？如果老鹰出现，他们会警告灰蒙和鱼跃斑。”

鸽翅注意到，两只狩猎猫都从一个角度向积雪中挖去，积雪表面一点没被弄乱。“他们想在不惊扰野鼠的情况下，尽可能接近它。”她低声说，“下个秃叶季如果下雪，我们可以在森林里试一下这个方法。”

“对。”暴毛说，“等野鼠意识到的时候，无论它想往哪里逃，那里都有一只猫等着它。”

他话音刚落，两只狩猎猫已经向小溪边冲去。野鼠出现了，慌忙顺着鱼跃斑前面的岸边往下游跑。母猫扑上前去，但野鼠往一边冲去，她的脚掌插进了冰封的小溪。

“该死！”鱼跃斑怒目圆睁。

“运气不好！”狐步向她喊道。

与此同时，野鼠又往小溪上游逃去，可灰蒙正等着它呢。他一跃而起，直接扑在野鼠身上，一口咬住它的后颈，杀死了它。“感谢杀无尽部落！”他说。

“漂亮的团队协作！”狐步惊叹道。

鸽翅应声附和，但她心里还是有点吃惊。抓捕一只可怜的小野

鼠居然要四只猫齐心协力的合作。

“我们还要继续巡逻，你们是不是要先把野鼠埋起来？”狐步建议道，“我们在森林里就是这样做的。”

灰蒙摇摇头：“如果我们把它埋在这里，它很快就被冻硬了。”他说，“我把它送回洞里去。我们喜欢趁热吃猎物。”

他叼起野鼠，往他们来时的方向走去。鹰崖目送他离开，直到他小小的灰色身影被岩石遮住。然后，鹰崖转身向下一个边界标志走去。鸽翅跟上去，鱼跃斑走上来，和她并肩前行。

“你们一定觉得这里很陌生吧。”虎斑母猫友好地说，“族群生活是什么样的呢？”

鸽翅沉默了一会儿，不知道该从何说起。最后，她回答说：“族群猫很多，我们有四个族群。是四个，不是一个。我们划定边界，并遵守武士守则，通常不担心其他族群会侵犯我们。我们的领地没有你们的大，所以不需要这么长时间巡逻边界。”

“我们需要很大的领地。”鱼跃斑辩解道，“这里的猎物稀少，我们必须活下去。”

“我非常理解。”鸽翅安慰她说，“我们没有护穴猫或狩猎猫。在族群中，每一只猫都要学会做所有的事。”

鱼跃斑点点头：“暴毛给我讲过。但如果让每一只猫发挥自己的特长，应该更有意义吧？”

鸽翅尴尬起来。她不是想说族群生活比部落生活好得多，不过鱼跃斑好像固执地在为部落生活辩护。

“猫儿已经在这里生存了很多很多年。”鱼跃斑低声说，仿佛已

经猜到鸽翅在想什么,“我不能在任何别的地方生活。这里就是我的归宿,白雪和蓝天之间。”

“我对森林的感觉也一样。”鸽翅承认说,“我需要脚下踩着草叶和泥土,头顶有树枝沙沙作响。”

鱼跃斑若有所思地看着鸽翅说:“我想,你在这里也能生活得很好。你瞧,你就听出了雪地里有野鼠!”

“我无法离开自己的家。”鸽翅回答说,“不能永久离开。”

鱼跃斑叹息一声,停下脚步,凝视着白雪覆盖的山峰,难过地说:“我可能会不得不离开。”

“你的意思是说,如果尖石巫师死了,却没选出继任者?”鸽翅问,“你们不能自己选一个吗?”

鱼跃斑惊愕地瞪大眼睛看着她:“当然不可以!那是杀无尽部落决定的事。他们也在守护着你们吗?”

鸽翅摇摇头,加快步伐,以免被其他猫落下得太远。她边走边解释说:“不,我们有星族守护。他们是我们武士祖先的灵魂,他们向我们的巫医传递信息。族群猫死后就会加入星族。”

鱼跃斑眨眨眼睛:“听上去有点像杀无尽部落。他们是相同的猫吗?”

“我想不是。”鸽翅说,“在族群里,星族并不选择新族长,但他们会赐予族群猫选择的族长九条命。”

“我们这里不一样。”鱼跃斑的声音听上去又像在为部落辩护了,“尖石巫师会照料我们,他一直都在照料我们。”她环顾四周,看到雪地上有一簇羽毛。“嘿,你看!幼崽们会喜欢的。”她边说边向

那团羽毛跑去。

她不想谈论尖石巫师。鸽翅看着她的背影，心里想。但她显然很害怕，知道尖石巫师如果不选继任者，急水部落将会发生很可怕的事。

第十五章

“够了。”石歌走到松鸦羽和断影中间。他的声音很坚定，但他看着伤心难过的母猫时，目光中饱含同情。“断影，你是选择来这里的猫之一。我们都遵从了投石的选择。”他把尾巴放在母猫肩膀上，将她拉到洞壁边。“吃点新鲜猎物吧。”他说，“然后休息一下。好好睡一觉之后，我们都会感觉好一些的。”

升月跟着他们走过去，并留下来陪着断影。石歌回到松鸦羽身边。“你没事吧？”他的声音听上去更友好了，“你独自来到这里，一定吃了不少苦。是什么原因让你单独留下来的？”

“我害怕了。”松鸦羽撒了个谎，与他刚才告诉半月的一样。

“你？”石歌听上去好像根本不相信，“但正是你想离开的！是你说服我相信，在这些石头小山中，有我们生活的地方。”

“我知道。”松鸦羽用前掌刮擦着洞底的岩石，非常内疚和尴尬，“那正是我害怕的原因。我好像应该为此负责，但我却做不到。对不起。”

“但现在你来了。”半月说，“你终究还是不想离开我们的。”她的声音里充满希望。

“对。尽管我很害怕,但我从未怀疑过我们作出的选择。这里是我们应该来的地方。”突然,一波疲惫掠过松鸦羽全身。洞里光线昏暗。他知道,此刻可能是黎明或者黄昏。他不知道他怎么会在这里,和远古猫在一起,也不知道他现在应该做什么。

当他站在那里整理乱糟糟的思绪时，追云迈着沉重的脚步缓缓走过来。由于外面下着暴雪,他身上的毛是湿的,纠结在一起。“我们需要更多的新鲜猎物。”他宣布说,“我们必须出去捕猎。”

松鸦羽觉得这只灰白毛公猫看上去疲惫不堪，就连一只老鼠都能把他打倒,但他那双眼睛里仍然闪动着坚定的神色。

“窝呢? ”微风质问道,“苔藓在哪里? 干草呢? 羽毛呢? 难道我们就睡在光秃秃的岩石上? ”

“暴风雪过去之后,我们就出去找。”石歌承诺道,“但我不知道这里能找到什么可以做窝的东西。”

微风愤怒地抽抽胡须,但没再说什么。松鸦羽看看她,又看看其他绝望地团团乱转的猫，感到一阵惊慌。他们将怎样在这里生存? 因为他们是要留下来的,不是吗? 他们是岩石的后代,他们必须在这里安顿下来,组成急水部落。

松鸦羽一想到岩石,岩石似乎就来了。尽管松鸦羽什么也没看见,却突然感觉到了那只远古猫的存在。岩石就在他身边。他缓缓的呼吸正吹动着松鸦羽的耳毛。“你帮助他们离开湖区。”岩石低声说,“这里现在就是他们的家。你必须让他们留下来。”

但怎样做呀? 松鸦羽真想大声喊出这几个字。但他知道,他不可能期望从岩石那里得到回答。况且,岩石话音未落,就消失不见

了。松鸦羽再次环顾四周。他无法想象，这些精疲力竭、垂头丧气、可怜兮兮的猫，是怎样成为急水部落，怎样把山地变成家园的。我该如何开始呢？

“我们组织一支捕猎队怎么样？”追云的声音打断他的沉思。

“我和你一起去。”石歌说，“半月？”

白色母猫点点头：“我去。”

“我也去。”松鸦羽说，但他心里很为自己吃惊。你不能捕猎，鼠脑子，他提醒自己。但我在这里能看见，他辩解道。况且，那能有多难吗？

半月欣喜地看了他一眼，来到他旁边，和他一起走出山洞。走到水帘前时，松鸦羽转过身，看着洞内。两名长老云日和奔马都伸展着四肢躺在地上，不知是睡着了，还是失去了意识。怯鹿躺在一边喘着粗气，她的肚子鼓得很高。松鸦羽可以看出，她的幼崽们很快就要出生了。她没法再继续赶路了。

这时，一只小巧的灰毛母猫走过去，对怯鹿说了些什么。松鸦羽听出那是鸽翅的声音，在这个时代，她是他的姐姐。松鸦羽觉得她急切的声音很熟悉。正当他看得入神的时候，半月用一只脚掌戳戳他，分散了他的注意力。

“你真的能去捕猎吗？”她说，“你看上去好像被獾打了一顿似的。”

“我没事。”松鸦羽回答说，并跟在她后面，沿着瀑布后的小径向前走去。

外面，暴雪仍然在肆虐。群山已经披上闪亮的银色冰铠甲，狂风在山巅呼啸，将雪粒吹到猫儿们脸上。有些冰碴还飞进他们眼睛

里，或者沾在他们皮毛上。松鸦羽低头顶着刺骨的寒风，跟在追云身后，爬上瀑布对面一道陡峭的鹅卵石山坡。他们翻过山脊时，有那么一刻松鸦羽觉得自己会被风刮跑，便慌忙爬到一块岩石遮蔽处。捕猎队的其他猫挤在他四周，趁机喘口气。

松鸦羽试图回忆起急水部落的捕猎方式。“他们都抓什么？”他自言自语道，“他们使用常规的捕猎技巧吗？”

“你说什么？”半月转向他，退后一步，看着他的眼睛。

“呃，我……我只是不知道该怎么做。”松鸦羽结结巴巴地说。

半月张嘴想回答他，但一阵狂风吹来，她在结冰的岩石上直打滑。她惊恐地哀号一声，后掌已经滑到岩石外。她只好用前掌扒拉着岩石，徒劳地想将爪子插进坚硬的岩石表面。

“坚持住！”松鸦羽立即冲上前去。他用牙齿咬住她的肩膀，用力往上拉。他闭着眼睛，不敢看半月后腿下面的悬崖。半月的恐惧给了他无穷的力量。他一步步从岩石边向后退。他知道，追云就在他旁边，正紧紧咬着半月的另一只肩膀。

半月疯狂地用后腿往上爬。在其他猫的帮助下，她终于将自己重新拉上岩石，躺在那里发抖。

“你没事吧？”追云焦急地问，并探过身去，以便半月靠着他的肩膀重新站起来。他那双蓝眼睛里充满恐惧，松鸦羽想起他是半月的父亲。

“谢谢你们两个。”半月眨眨眼，感激地说，“我没事。但我们还是快点离开这道山梁吧，免得都被刮跑了。”

追云点点头，重新带队向一道山谷走去。犬牙交错的岩石从山

谷底部的积雪中突出来。松鸦羽跟上去，意识到石歌正走在他旁边。

深色虎斑猫用他那双蓝眼睛焦急地凝视着松鸦羽，勉强承认道："也许我们错了，猫怎么可能生活在风都与我们为敌的地方。"

"我们没错！"松鸦羽固执地说，"我们就该来这里。"

但石歌看上去并不相信他的话。

松鸦羽顶着寒风，冒着冰雪，继续吃力地向山谷下走去。他感觉心里空荡荡的，只留满腹焦虑。无论如何，我必须让他们留下来！我必须让他们看到急水部落是怎样捕猎的。他好像听到头脑中响起一个嘲讽的细小声音：你要教这些猫如何捕猎？你是十足的鼠脑子吗？松鸦羽在喉咙深处低吼一声：我不教谁教？

他从打着旋的飞雪中望去，发现山谷一侧有一条狭窄的冲沟，两边陡峭的岩壁让沟里的风小了很多。他还看到远处有一片深色荆棘灌木。

"嗨！"他向已经走到他前头几条尾巴远的捕猎队喊道，"这里看上去不错，我们可以从这里开始。"

其他三只猫缓慢走回他身边，跟在他身后走进冲沟。没有狂风刮在身上，松鸦羽感到一阵安慰。不过地上仍然覆盖着很深的积雪。他们艰难地向前迈动脚步，积雪不时沾到他们皮毛上。

他用尾巴指着那片荆棘灌木："可能有小猎物藏在那下面，至少值得试一下。"

"的确如此。"石歌嘟哝道，"眼力不错。"

松鸦羽小心翼翼地向灌木靠近，竖着耳朵捕捉猎物的动静，同时张开嘴嗅闻空气。尽管风仍在他头顶的岩石间怒号，他还是听到

了微弱的刮擦声。这意味着有老鼠或者尖鼠在矮树丛中移动。

“我们协同捕猎吧。”他建议道。他们上次来这里时，狮焰和冬青叶告诉过他部落猫的捕猎方法，他努力回忆着。“两只猫钻到灌木里去，把猎物赶出来。另外两只留在这里等着抓它。”

“好主意！”半月兴奋地伸缩着爪子说，“我个头最小，我进去！”她蹲伏下来，直到腹毛擦到积雪。然后，她爬到外围的树枝下。但是，正当她想进一步往矮树丛里爬时，荆棘挂住了她背上的毛。无论她怎样扭动，也无法脱身出来。

“我被挂住了！”她无比沮丧。

“小声点，不然会把猎物吓跑的。”石歌提醒她。

“我还以为这主意不错呢。”半月嘟哝道。

追云举起一只前掌去拉那根树枝。“别动。”他说，“我很快就把你弄出来。”

追云将爪子更深地插进树枝，试图将它从女儿皮毛上扯下来。整个树丛晃动起来。松鸦羽看着他们的同时，眼角的余光瞥到一丝动静，一只尖鼠从灌木中冲了出来！

“出来了！”

尖鼠向松鸦羽直冲过来。他扑向尖鼠，动作缓慢而笨拙。他又伸出爪子去抓尖鼠，但只差了一丁点。松鸦羽还没来得及再次出掌，尖鼠已经逃走，钻进两块岩石间的缝隙之中。

“该死！”他哀叹道。

“运气不好。”令松鸦羽吃惊的是，石歌听上去并不怎么生气，也不是特别失望，“这至少表明这里的确有其他猎物，而不只是追

喵!

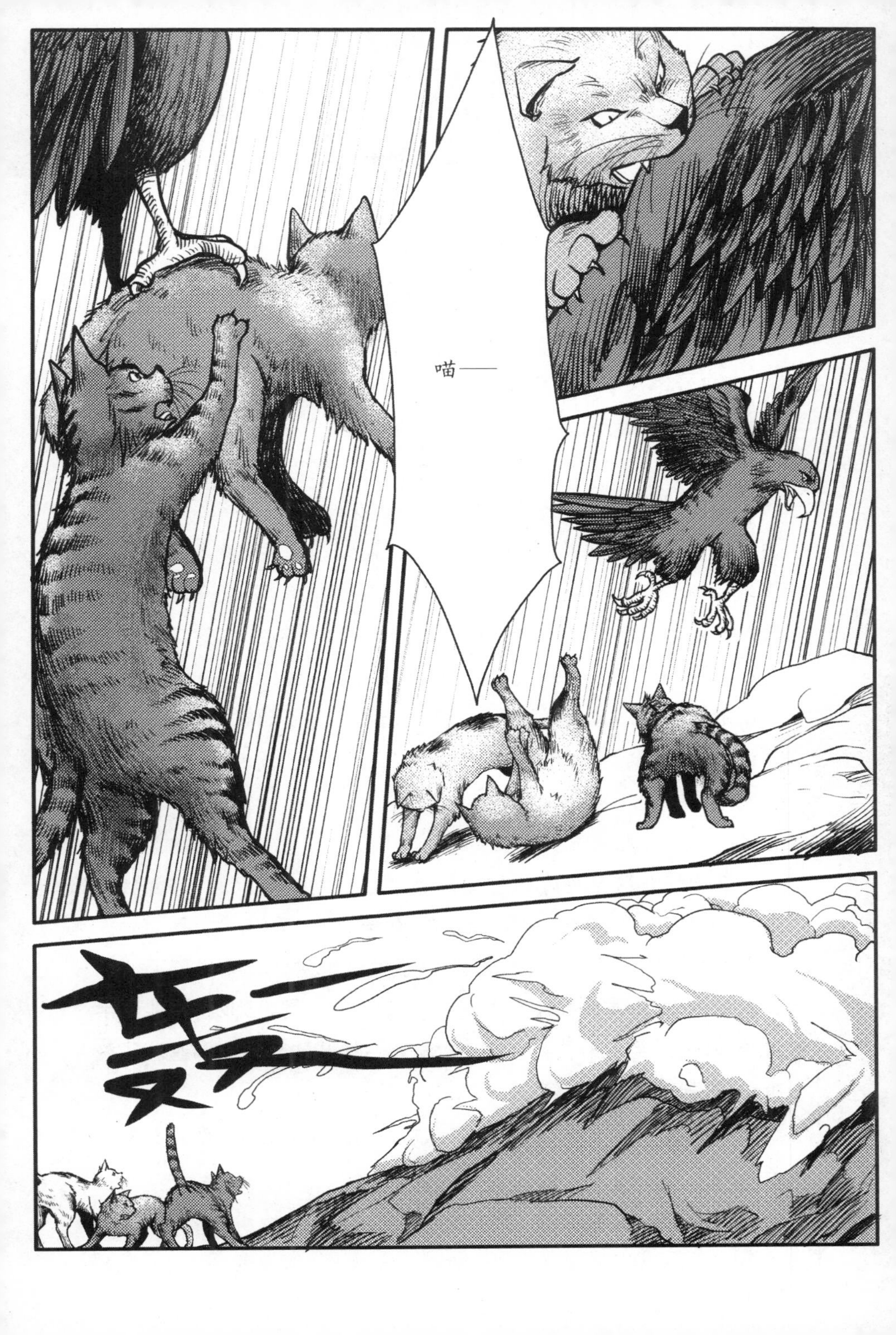
喵——

云今天早上捕到的那种小老鼠。”

追云已经设法将挂住半月的荆棘扯开了。她从灌木下退出来，颤抖着伸长脖子，看着背上被挂掉毛的地方。

“我觉得这下面没有其他东西了。”追云说，“暴风雪更大了。我们如果在这里迷路，会被冻死的。”

石歌点点头：“我们回去吧，看看在路上能否抓到猎物。”

说罢，他领头向冲沟顶上走去。他没再去爬先前半月差点掉下去的那道山梁，而是向岩石间的一道大裂缝走去。松鸦羽跟在他后面，感觉脚掌都要被冻在地上了。为了躲避狂风，他们在岩石间穿行。突然，头顶的天空变得更加阴沉，他呻吟一声，不知道山地的天气还会让他们吃些什么苦头。片刻之后，一股臭气扑鼻而来，他耳朵里响起一声划破天际的尖叫。空中仿佛下起了翅膀暴雪。他惊恐地抬头望去，发现一只巨大的棕色鸟儿正向他们俯冲下来，伸出利爪向半月扑去。

“当心！”他大吼一声。

追云和石歌向两边闪去，避开大鸟。半月一跃而起，想躲到岩石下，可脚下一滑摔倒在地。她的脚掌无助地在积雪中扑腾着。大鸟得意地号叫一声，直冲下来，将爪子插进半月背部。松鸦羽奋力向她冲过去，脚掌在结冰的岩石上不停打滑。最后，他终于冲到半月身边，使出全身力气紧紧拽住她。大鸟展开的翅膀仿佛遮蔽了整个天空，松鸦羽凝视着半月惊恐的眼睛。

“我不会松开的！”他大声说。大鸟试图重新起飞，松鸦羽感觉自己都快升入到了空中。

但紧接着，一声尖利的猫叫划破长空。追云向大鸟扑去，将爪子和牙齿全部插进大鸟的翅膀，奋力将它从女儿身上拽开。大鸟松开爪子，松鸦羽和半月滚到了地上。松鸦羽气喘吁吁地抬头看去，看到大鸟在空中猛地一转，追云从它翅膀上摔落下来。当追云躺在地上惊魂未定时，大鸟已经再次俯冲下来，用凶恶的爪子紧紧抓住他的肩膀。

“不！”半月惊叫道。

就在大鸟试图飞起来时，松鸦羽和石歌同时跳到追云身边，拽住他的腿。一时间，松鸦羽以为大鸟会将他们三只猫全部带走。但接着，他们同时掉落到地上，追云沉重地压在他们身上。殷红的鲜血从追云苍白色的皮毛中流出来，大鸟的利爪把他的皮毛扯掉了好大一团。

大鸟狂怒的叫声消失了，取而代之的是更大的隆隆声。松鸦羽循声望去，顿时惊呆了。他看到头顶岩壁上的积雪坍塌了，就像一道白色云雾向他们席卷而来。

“快跑！”他无力地喊道。

但猫儿们还没来得及从地上爬起来，雪已经压到他们身上。巨大的冲击力让松鸦羽失去平衡，他在雪地里翻滚起来。大片积雪雷鸣般轰响着，裹挟着他向山下滚去。大鸟已经消失，他也没看到其他猫。除了白色雪暴之外，什么也没有了。轰鸣声越来越大，直到遮蔽了一切。

出什么事了？松鸦羽无声地喊道。就这样结束了吗？

第十六章

“快起来，鼠须！我们可没有一整天的时间等你！”

听到黑莓掌欢快的声音，藤池竖起耳朵。此刻，她正蜷缩在学徒巢穴入口处的凤尾蕨中，看着一团柔和的乳白色亮光在石头山谷上空慢慢变大。武士们相继出现，准备开始黎明巡逻。

雷族副族长推着鼠须，从武士巢穴的山毛榉树枝中钻出来。年轻猫转过身，顽皮地向黑莓掌打去。他的脚掌从黑莓掌鼻子边晃过，离鼻尖只有一只老鼠尾巴那么远。藤池听着渐渐醒来的族猫们开心的说笑声，不禁叹了口气。天空灰蒙蒙的，但天气凉爽，空气潮湿，充满了树叶和万物生长的气息。过去几天一直都是阳光明媚的好天气，树上的芽苞已经开始舒展开来，嫩苗也从泥土中探出了头。很多个月以来，新鲜猎物堆第一次这么丰富。

但是，对新叶季的到来，藤池无法和族猫们一样兴奋。自从鸽翅去山地之后，她的睡眠就很差。她不习惯独自睡在巢穴里，心里总是很不安，身上像有一窝蚂蚁在爬似的。

藤池叹着气走进空地。黑莓掌正在组织巡逻队。云尾刚从武士巢穴走出来，张大嘴打着哈欠。尘毛从他身边挤出来，弓起背，伸了

个大大的懒腰。白翅和蕨毛正在互相追逐，像是在练习作战技巧。栗尾看着他们，舔了舔一只脚掌，将它举到耳朵上。

藤池将目光从空地上扫过，但没看到梅花落。她在哪里？昨晚她去黑森林了吗？藤池将爪子插进空地的泥土地面。过去几个晚上，她都睡得太少，没去黑森林。但她相信，那里的血腥训练仍在继续。至今为止，她还没找到机会告诉梅花落她在黑森林干什么。

也许今天我该告诉她了。

"嗨，藤池！"狮焰喊道，"炭心和我要去巡逻边界，你想和我们一起去吗？"

"太好啦。谢谢！"

"我们将沿着影族边界——"狮焰喵道。但藤池却没在听他说话，因为她看到梅花落正跌跌撞撞地从武士巢穴走出来，黄蜂条走在她身边。年轻母猫看上去疲惫不堪，皮毛凌乱，走路一瘸一拐，但她竭力掩饰着。

可我一眼就看出来了，藤池难过地想。

当梅花落向黑莓掌走去时，榛尾走上前去，拦住她。"梅花落，你没事吧？"榛尾忧心忡忡地问。

梅花落停下脚步："没事，我很好。"

"可我觉得你一点都不好。"榛尾厉声说。"嗨，米莉！"她向梅花落的妈妈摆摆尾巴。米莉正穿过空地往巫医巢穴走。"我觉得梅花落生病了。"

"什么？"米莉看看梅花落，"哦，她没事。我必须去看看荆棘光。"

藤池发现，米莉说话的时候，梅花落眼里闪过一丝愤怒的神

色。但米莉显然没注意到，因为她已经大步走开，消失在黑莓屏风后面。

黑莓掌向那只玳瑁色和白色相间的母猫走去，边走边说："梅花落，我本来准备派你和黄蜂条、沙风、刺掌一起去巡逻风族边界的。但今天早上你的气色很差，仿佛都能把枯叶吓跑。你们这个队最好还是去捕猎吧。"

梅花落点点头，但黄蜂条失望地耷拉下尾巴。"我昨天捕了两次猎。"他对黑莓掌说，"我还以为今天可以巡逻边界呢。"

黑莓掌狠狠瞪了年轻公猫一眼："如何组织捕猎巡逻队是副族长的职责。"

黄蜂条用前掌刨着地上的松土，压低声音嘟哝着什么，藤池趁机走到他身边。"我要和狮焰还有炭心一起巡逻边界。"她说，"如果黑莓掌同意，我可以和你换。"

"你们自便吧。"副族长生硬地说，"也许我应该回自己窝里去躺着，让你们自由组合算了。"

"谢谢你，藤池！"黄蜂条立即高兴起来，跑去追狮焰和炭心了，他们正准备出发。藤池看着两名武士并肩走向荆棘通道，非常羡慕他们之间的友谊。黄蜂条追上去，三只猫消失在森林里。

"好啦。"沙风甩了一下尾巴，"我们走吧。我想，我们还是去两脚兽巢穴吧。我觉得过去两三天好像都没有捕猎队去那里了。"

他们走进森林，沙风和刺掌走在前头，藤池和梅花落殿后，沿着旧雷鬼路并肩往前走。年轻玳瑁色母猫呼吸急促，仍然吃力地掩饰着一瘸一拐的步态。藤池看到，她一只前掌上的一根爪子被撕

裂了。

“昨晚黑森林的训练是不是很艰苦？”她有点尴尬，因为她从没问过任何资深武士这样的问题，“你——？”

“嘘！”梅花落惊慌地说，还用耳朵指指前头的两只猫，“我们不能在这里说。”然后，她强忍痛苦加快步伐。藤池跟上去，心里盘算能否找机会单独和梅花落待一会儿。

他们来到旧两脚兽巢穴外，沙风从松鸦羽栽的药草中走过，仔细嗅着刚刚长出的新叶。“猫薄荷开始发芽了。”她说，“如果影族没强迫我们给他们一些，现在这里要多得多。”

“对不起。”藤池嘟哝道。她觉得很内疚，因为影族曾抓住她，把她关押起来，逼迫雷族用药草去换她。

至少鸽翅没再和虎心约会了。我们不能相信他，因为他在黑森林。不过，我也在啊。想到这里，她感觉脊背一阵冰凉。还有梅花落……

“藤池，醒醒！”藤池惊得一跳。刺掌用尾巴在她耳朵上拍了一下，“别做白日梦了。你没听到沙风对你说的话吗？”

藤池尴尬地摇摇头。

“她想让你们爬到雷鬼路那边的斜坡上去。”虎斑武士解释道，并用尾巴指着那边，“那上面应该有很多松鼠，在橡树下找它们存放的松果。”

“我们到两脚兽巢穴里去看看。”沙风补充说，她那双绿眼睛闪着光，“里面应该有老鼠，不然我就是獾。”

她边说边向巢穴入口走去，几乎立即惊起一只老鼠。老鼠疯狂地向墙上的一个缺口逃去。刺掌跳上前去，切断它的退路。老鼠转

头逃窜，结果直接撞进沙风的利爪之中。

“我说得没错吧？”她得意地说，并刨些泥土将老鼠盖上。

“你们两个还在等什么？”刺掌摇摇尾巴，示意梅花落和藤池快走，“难道现在在上学徒训练课？”

“他总是这样颐指气使！”藤池嘀咕道，并向陡坡上爬去。梅花落“嗯”了一声，表示附和。她缓慢地在密集的矮树丛中穿行，走得十分吃力。她们刚刚走到看不见两脚兽巢穴的地方，藤池就停下脚步，小心翼翼地说：“你想休息一下吗？我知道晚上训练有多累。”

梅花落凝视着她：“我觉得我们不应该讨论这个。”

谁让你保密的？藤池纳闷。虎星？鹰霜？她沮丧地抽抽尾巴。如果梅花落拒绝和她谈起黑森林，她就没有机会说服她不去那里。

梅花落已经挣扎着继续从矮树丛中往前走，藤池不得不跟上去。她们从一丛荨麻边走过，又钻到一丛榛树的矮树枝下。藤池走上前去，将一根黑莓藤拂开，直接站到梅花落面前：“你是怎么知道黑森林的？”

梅花落眼里闪着一丝怒光。她回答时，声音里也有一股怒气：“我是被邀请去的，行了吧？鹰霜邀请的。他说在那里有机会让我成为更优秀的武士。如果仅仅和族猫们训练，我永远没有机会。他说得对。我相信，他也对你说过同样的话。”说罢，她转过身，重新向山坡上走去。然后，她又回过头来，补充说：“现在，我们是不是该捕猎了？”

藤池急忙跟上去，但她心里翻腾开了。梅花落真的知道黑森林的目的吗？她知道他们想向所有族群猫发动战争吗？她很想把真相

告诉梅花落，警告她为了自己的安全，不要再去黑森林。但她如果那样说，将不得不承认自己是黑森林的叛徒，正在代表雷族监视黑森林。

如果我要挽救族群，是否必须让梅花落继续去黑森林，也许死在那里呢?

“快点！”

梅花落的声音从上面传来，藤池的思绪被打断了。玳瑁色母猫已经在一个树木渐渐稀疏的地方停下脚步。藤池跑上前去，发现自己正站在冰云掉进地道的那片空地边。她看到尘毛和蕨毛堆放在那里的树枝已经被编织起来，封住了洞口。

她心里很好奇，脚掌麻痒起来。以前巡逻时，她曾从这里经过，但今天是她第一次有机会走近些去看。她和梅花落交换一下眼色，发现对方和她一样兴奋。

“去看看？”她提议道。

梅花落点点头，两只母猫并肩走下斜坡。走到洞边以后，藤池伸长脖子，嗅嗅洞口的遮盖物。梅花落用头顶了一下那些编织起来的树枝，随之惊叫了一声，整个盖子移动到了一边。

“嘿，你看。”她又推了推盖子说，“我们可以直接下去！走，进去探险！”

藤池低头凝视地道，心里有种奇怪的感觉，像是告诉她不要进去。“捕猎怎么办？”

“稍后再捕！”梅花落回答说，她眼里闪着光。由于兴奋异常，她好像完全忘记了先前的疲惫。“探险去！”

藤池继续站在洞边，心里很紧张。梅花落到深草丛中去找了一圈，拖着一根大树枝回来了。"帮我把树枝放下去。"她喘着粗气说，并将树枝一端推进洞里，"然后，我们顺着树枝爬下去。"她和藤池合力把树枝放好。树枝细小的顶端支在洞口上。然后，梅花落迫不及待地向下爬去。

"下来吧！"过了一会儿，她向藤池喊道，"地道好长哦，从小山下一直往前延伸！"

藤池迟疑不决地向洞里爬去，感觉到树枝在她脚下跳动。她将爪子插进树枝，但树皮很干很脆。当她爬到离洞底还有不到一半距离时，树枝突然断了，她惊叫一声跌落到洞里，树枝落到了她身上。她从干树叶和小树枝中爬出来，凝望头顶那片小小的蓝天。现在，她们没法爬出去了。

"我们被困在这里了！"她嘘声说。

洞里黑影幢幢，她身上的每一根毛都直立起来。她无法解释这种现象，但她确信这下面有可怕的东西。地道口阴森森的。不知怎么回事，她知道她们不是洞里唯一的活物。

梅花落的眼睛在半明半暗中闪着微光。"这下，我们不得不继续往前走了。"她高兴地说。

"但这很危险！"藤池抗议说。

梅花落哼了一声："能有多危险？我们会失去四条腿？"

她们向地道深处走去，洞口射进的光渐渐消失。梅花落回头望去，只能依稀看到那根断裂的树枝躺在洞底。"往回走毫无意义。我们可能等上几年，也不会有猫从洞边经过。"她说，"就算有猫来了，

我们的麻烦也大了，一定有另一条出去的路。你说呢？”

藤池跟在族猫身后向黑暗中走去，希望她们不是在犯巨大的错误。尽管仍然感到焦虑恐惧，但她也开始像梅花落一样兴奋起来。冰云掉进洞里后，很快就被拽出去了，她从来没到地下这么远的地方。

我们是有史以来最先来这里的猫！

现在，两只母猫已经完全走在黑暗中。她们的皮毛擦着洞壁。脚下的路蜿蜒曲折，最后藤池已经全然不知她们正在走向何方。她不时发现，除了主地道外，还有其他分支地道。想到她们还在继续往小山深处走去，她不禁打了个寒战。

过了一会儿，走在前头的梅花落报告说："我能感觉到微弱的空气流动，那应该能带我们找到出去的路。"

她们继续往前走，脚下的石头又硬又冷，藤池感觉脚垫痛了起来。但就在这时，她意识到前头出现了苍白色的微光，她能看出族猫的头和竖起的耳朵轮廓。"有希望了！"她说。

梅花落加快步伐，藤池急忙大步跟上。但梅花落突然停下脚步，藤池差点直接撞到族猫身上。她向梅花落四周看去，发现地道已经通进一个巨大的洞穴，洞壁向上延伸，和高高的洞顶相连。一条黑色河流从洞中流过，河那边的岩石上有道很宽的壁架。

梅花落大着胆子往洞穴里走了几步，压低声音说："这是我看到过的最奇怪的地方。"

洞顶上有个小洞，阳光从那儿斜照进来。但洞顶太高，她们不可能从那里爬出去。藤池好奇地走上前去，低下头，舔了一口河里

的水。

“好凉啊！”她惊叹道，急忙退后，抽动胡须，抖落上面的水滴。

梅花落喝水的时候，藤池环顾四周，突然产生了一种奇怪的感觉，仿佛有只猫正从洞壁上的壁架那里盯着她的后背。她迅速转过身，壁架上却是空的。但那种感觉挥之不去，让她毛骨悚然。

“我们不该来这里的。”她说。她的声音在洞穴里发出响亮的、不自然的回声。

“为什么？”梅花落抬起头，用舌头舔着嘴巴周围的水，“这里又没有猫会命令我们走开。”

藤池的目光落在了河边潮湿沙地上的新鲜脚印上，离她和梅花落站立的地方并不远。“那这些是谁留下的？”她喉头一阵发紧，身上的每一根毛都竖了起来。她伸出爪子，在岩石上抓挠着。

“有猫生活在这里！”

第十七章

松鸦羽被凝重的寂静包围着，一切都黑漆漆的。一时间，他还以为自己又瞎了。然后，他意识到，原来他的眼睑被冰冻得粘在一起了。他强忍疼痛把眼睛睁开，结果除了闪着微光的白色以外，他什么也没看到。当他试图张嘴喘气时，积雪直往他喉咙里灌。

我被埋在雪里了！

光好像在他头顶的什么地方。松鸦羽扒拉着积雪，向那里移动。没过多久，他的头就伸了出来。他环顾四周：暴雪已经停了，山谷里寂静无声，山峰像黑色的阴影耸入靛蓝色的天空，落日的最后几缕余晖正开始淡去。他连猫的影子都没看到。

松鸦羽惊恐地僵在原地，想到其他猫可能都死在雪崩中了，但他不得不强迫自己开始行动。他用力踢打后腿，从积雪中爬出来，站在那里抖落皮毛中的积雪。

"松鸦翅！"喊声是从他背后传来的。松鸦羽跳转身，看到石歌正从山谷上方不远处的一堆积雪中往外爬。松鸦羽吃力地从松软的积雪中走过去，将他拉出来。灰色虎斑公猫惊魂未定，沉默不语。他凝视着群山，仿佛不记得自己身在何处了。

"你没事吧？"松鸦羽焦急地问，"我们必须找到其他的猫。"

石歌摇摇头，让自己清醒过来。"我没事。"他喘着大气说，"你看到他们了吗？"

松鸦羽摇摇头。

"他们肯定在这里的什么地方。"石歌说，"我们必须找到他们。"

把这些雪都挖个遍？松鸦羽惊骇地想。然后，他发现几只狐狸身长外的一堆雪顶部有团深色的东西。他走过去，看到那是一摊血。"在这里！"他向石歌喊道，"追云受伤了，这一定是他的血。"

两只猫合力将雪刨开，直到追云的身体现出来。松鸦羽的心跳加快了，因为他看到追云一动不动地躺在那里，像一小块被雪崩的巨大力量抛掷到一边的柔软皮毛。

然后，追云咳嗽几声，睁开了眼睛："出什么事了？"

"雪压到我们身上了。"石歌解释说，"我想，我们和那只大鸟搏斗时，一定惊扰了积雪。来，我们把你拉出来。"

松鸦羽和石歌将追云从雪洞中拖出来。他趴在积雪上，看上去仍然有些恍惚，不时舔舔肩膀上被大鸟扯掉皮毛后裸露出的肉。

"半月呢？"松鸦羽喊道，"半月！"

没有回音。但几条尾巴远处的积雪表面有轻微的动静，这吸引了松鸦羽的目光。他从积雪中冲过去。当他看到半月的耳朵和鼻子从白雪下伸出来时，一阵欣慰掠过全身。片刻之后，半月脑袋的其他部分也露了出来。

松鸦羽用力扒拉着身边的积雪，半月终于爬出来。"谢谢。"她气喘吁吁地说，"你找到——"

当她看到父亲时，顿时无语地呜咽起来。她挣扎着爬过去，在父亲身边蹲伏下来，开始舔他的伤口。松鸦羽看到大鸟的爪子也在她背上留下了伤痕。但即使很痛，她也没表现出来，而是全心关注着追云。在微弱的光线中，松鸦羽注意到，半月刚才钻出来的那个雪洞里有什么东西在生长着。他俯下身，嗅嗅积雪，闻出了千里光的气味。这有助于增加力气，他回忆起上次来急水部落时学过的山地药草知识。这可以让大家从震惊中缓过气来。他把脖子伸进那个洞里，设法咬下几根药草茎，叼着它们向其他猫走去。

他把药草放到他们面前，命令道："来，把这些吃了，你们就会感觉好受些的。"

三只猫都抬头看看他。然后，他们低下头，舔了起来。

他猜想：他们经历了太多的磨难，已经不奇怪我为什么认识这里的植物了。他不知道附近是否有蜘蛛网可以止血，觉得回到洞里后最好去找找。

"我们应该回去了。"他说。但没有一只猫动弹。他推推石歌："走吧。你想死在这里吗？我们已经走了这么远，难道就这样放弃？我们需要信心。"

石歌木讷地看着他："信心？什么信心？"

松鸦羽不知如何回答，真希望自己能将星族，或者杀无尽部落召唤出来。但那些名称对这些猫毫无意义。此刻，有祖先在看着我们吗？

"我们应该对自己充满信心。"他对他们说，并尽量让自己表现得很自信，"我们已经走了这么远，我们会生存下来的。我们必须给

自己时间。”

石歌眨眨眼:“我们可能没时间了。这些山可能会要了我们的命。”

松鸦羽想到了所有后来的部落猫,想起急水部落将在山地生活很多个季节,直到被去太阳沉没之地的远征队发现。

“你们有时间。”他说,“我保证。”

松鸦羽和石歌几乎是抬着追云走进了洞口,半月一瘸一拐地跟在他们后面,洞里的猫儿们见状发出一阵惊恐的号叫声。

“出什么事了?”闪电急切地问,“你们受到狐狸袭击了吗?”

“不是,是鸟。”石歌回答。

“鸟?”耳语也挤到闪电身后,用那双惊恐的蓝眼睛凝视着追云的伤口,“鸟能把你伤成这样?”

“是只很大的鸟。”追云说。

更多的猫围上来。他们仔细看过伤口之后,都哀叹不已。枭羽的幼崽跑过来,好奇地嗅着追云。然后,他们闻到了血的臭味,急忙缩回到母亲身边。

“我早就说过了!”奔马嘟哝道,“我们根本不该来这里。”

升月转过头,仿佛不忍再看下去。松鸦羽想起在森林里时,她和追云是伴侣。“这地方会让我们都死掉的。”她小声说。

松鸦羽怒不可遏,急速抽动着尾巴尖。难道这些猫就只会这样站在这里抱怨,却什么也不做?如果在族群里,他会把受伤的猫直接带去巫医巢穴,但这里没有巫医,看来只有靠我了。

石歌轻轻地把追云放到地上，然后走进惊慌的猫群中。“够了！”他喊道，“安静！追云会好的。我们还是想想怎样帮助他吧。”

尽管族长这样说，惊恐的哀号声几乎没有停下来。松鸦羽看到半月正在猫群中间，便扭扭耳朵，示意她出来。他们都挤出猫群后，他说：“我们需要蜘蛛网止血，后面的小洞里可能有。”

半月点点头，跟在松鸦羽后面向小洞穴走去。她走进即将成为尖石巫师巢穴的那个洞穴，松鸦羽沿着通往尖石洞的通道往前走。松鸦羽觉得，那个洞看上去和他在自己时代的幻象中看到的一样：尖尖的石柱矗立在洞底，与洞顶悬垂下来的其他石柱在半空中对峙着；洞底到处都是小水坑，反射着从洞顶那个小孔中照射进来的苍白月光。他打了个寒战，身上的毛直立起来。

这地方在这里有多久了？经历了多少个季节？和森林中地上的落叶一样悠久吗？

然后，他摇摇身子，让自己清醒过来。他走上前去，在洞边和岩缝中查找。没有蜘蛛网，但他在一个水坑边找到了一些粗短的苔藓。他抓起一把，放到水里浸湿。如果没有蜘蛛网，这是给追云疗伤的最好药草。他叼着滴水的苔藓回到大洞里。

半月正从另一条通道走出来。“我在那里什么也没找到。”她说，“里面好黑啊！”

洞口的猫群已经开始散开。在石歌的支撑下，追云正步履蹒跚地向洞中间走去。松鸦羽环顾四周，这里没有合适的地方可以作巫医巢穴。但他看到一块大圆石头下有一小片沙地，那里应该可以。“把他带到那里去。”他叼着苔藓说，并用尾巴示意石歌。

有些猫还跟在后面，但半月走上前去，拦住他们。“他现在需要安静。”她说，“你们过会儿再来看他吧。”

升月看上去好像想抗议，但微风把尾巴放在她肩膀上，把她带走了。松鸦羽和石歌将追云平放在沙地上，松鸦羽把浸透水的苔藓放到他肩膀上被大鸟撕掉皮毛的地方。

“这下感觉好些了！”追云嘟哝道。

松鸦羽把伤口清洗干净之后，将更多的苔藓放在上面，并把四周按紧，确保它们不会翘起来。“不要动，别让它们掉下来。”他告诉追云，“如果能睡着，就睡会儿吧。”

他察觉到石歌对他充满权威的语气有些惊讶，但他没去多想。我不知道松鸦翅懂多少医疗知识，但这就是我，我在做我必须做的事。

“该你了。”他对半月说。

松鸦羽清洗白毛母猫身上的抓伤时，看到卷蕨站在大洞穴中间，大多数猫都围在他身边。

有麻烦了？松鸦羽心里想，但他没说什么，仍然小心翼翼地清洗着半月的伤口。

松鸦羽第一次在湖边遇到远古猫时，卷蕨是族长。当初投石表态时，他选择的是留下。最终决定作出后，他把族长的领导权让给了石歌。

“我想，我们大多数猫都认为来这里是错误的。”卷蕨说，“我们根本不该离开湖区。暴风雪一停，我就带领愿意回去的猫往回走。”

“应该快停了！”闪电喊道，“我跟你走。”

“我也走。”鱼跳说，“我一直就不想来。”

怯鹿竖起尾巴，开口说道：“卷蕨，我们并不是都同意来这里的。”她的声音里透着坚定。“但我幼崽们的父亲就白白死了吗？”她用尾巴尖抚摸着高高鼓起的肚子，补充说，“我没法继续走了，只有等到生下幼崽，他们长到足够强壮时才能上路。”

“我也想留下来。”鸽翅插话说，“我们在湖边也有很多麻烦，那些麻烦不会消失的。”

“但也许落叶会在那里。”断影的眼睛比松鸦羽见过的任何时候都更亮，“带我们回家吧，卷蕨。”

微风叹息一声。“我投石同意离开。”她说，“现在，我非常后悔。这是一个错误，我们应该回家。”

“我当时想离开湖边，但我现在想回去。”枭羽用尾巴把幼崽拢到身边，“我害怕留在这里，我的幼崽们会死掉的。”幼崽们发出恐惧的叫声。他们的母亲急忙蜷起身体，依偎着他们，安慰地在他们身上舔着。

“不！”松鸦羽插话说。洞里每一只猫的眼睛都转向他，每一双眼睛都在阴暗的灰色光线中闪着光。“你们不能回去。我是说，我们不能回去！”

枭羽把幼崽拢得更紧了，两眼怒视着松鸦羽。“你说得倒是容易。”她嘶声说道，“你没有幼崽。”

突然，松鸦羽意识到半月正站在他旁边。他飞快地看了她一眼，继续说：“我们不应该这么快就放弃。我们至少应该等到暴风雪过去之后，看看能否找到捕猎的方法。”

升月狂甩着尾巴，向他迈出一步。“但我们现在成了猎物！”她龇牙咧嘴地说，“如果我们自己都在被猎杀，还怎样捕猎？”

松鸦羽的头有点眩晕。“我们必须找到不同的捕猎方法。”他突然回忆起来，急水部落把猫分成护穴猫和狩猎猫，他们各司其职。“我们一些猫捕猎，其他的猫负责保护他们——还有我们的猎物——不受大鸟的伤害。”

猫儿们面面相觑，低声议论起来。松鸦羽可以看出，他们对这个主意没有任何信心。但它是成功的！我亲眼看到过！

“我们可以试试。”半月说着往松鸦羽身边靠近一些，直到他们皮毛相擦。

松鸦羽顿时感到一股暖流掠过全身。有一只猫支持自己的感觉真好。“谢谢。”他轻声说，并用鼻子碰碰半月的耳朵。

“是啊，去试吧，让更多的猫被撕掉皮毛！”闪电瞪着松鸦羽。由于愤怒，他脖子上的毛都直立了起来。

其他的猫纷纷附和他的话。松鸦羽感觉到，一道敌意的波浪正从卷蕨四周的猫身上流出，向他奔涌过来，冲击着他，他差点向后倒去。仅仅有半月的支持还不够。

“那就这样定了。”卷蕨的目光从其他猫身上掠过，“我们等着暴风雪过去，然后回湖区。”

松鸦羽站在那里，不相信似的眨眨眼睛。猫群拖着沉重的脚步，开始向洞边走去，寻找睡觉的地方。

这不是真的！

“对不起。”石歌说。刚才那场争论发生时，他一直默默站在那

里。“我们已经试过了，但失败了。这不是我们的错。也许我们就不该在石头小山中生活。”

松鸦羽凝视着他的蓝眼睛，看到的是真诚的悔意。他是全力支持这次行动的……但现在，他也要放弃了！松鸦羽什么也没说，跌跌撞撞地转身走开了。石歌没明白，是我们失败了……我失败了！

“如果这些猫这么快就离开，”他自言自语道，“急水部落是怎样出现在山地的呢？”

他几乎不知道自己在做什么，但发现脚掌正带着他向尖石洞走去。他听到身后有很轻的脚步声，回头看去，看到半月正跟着他。他在通道口停下脚步。半月走进洞里，惊讶地瞪大眼睛。

“哇哦！”她发出一声惊叹。

松鸦羽和她一起欣赏着四周那些白色的锥形石柱。不知为何，和半月一起待在这个洞里，让他意识到这个洞穴真的很漂亮。

“我们来探险吧！”半月说着像兴奋的幼崽一样蹦了一下。

她在水坑边奔跑，还尽可能伸长前掌够到身边的石柱。松鸦羽跟在她后面。“你瞧！”她惊喜地喊道，“这块石头是从地上长出来的，差点就和洞顶垂下来的石柱连到一起了。”

“那两根已经连到一起了。”松鸦羽用尾巴指着两根连接在一起的石柱说。

“太奇怪了！”半月向石头森林深处跑去，躲到一根石柱后边，顽皮地从另一边探出头。松鸦羽假装怒吼一声，向她扑过去。但还没抓到她，他突然在水坑边湿滑的岩石上一滑，一只脚掌踩进水里，溅起几道水花。他急忙笨拙地向一旁爬去，才没有滑进更深的

哇哦！
我们来探险吧！

这根石柱是从地上长出来的，差点就和洞顶垂下来的石柱连到一起了。
那两根已经连到一起了。

哈哈，你的脚掌打湿了！
我让你知道知
道什么叫打湿脚掌！

你看！
水里能看到月亮。

太漂亮了！
这么小，
就像一道爪痕。

水里。

"哈哈,你的脚掌打湿了!"半月奚落道。

"我让你知道什么叫打湿脚掌!"松鸦羽低声吼道。

他边说边用脚掌向她泼水。半月尖叫着跑开了，松鸦羽追上去,但转眼之间,半月已经消失在石柱丛中。突然,她又不知从何处钻了出来,向他直冲过去。他们同时倒在了地上,松鸦羽发现自己正和她四目相对。半月那双绿眼睛看上去就像森林里波光粼粼的两汪翠绿湖水。她温暖的皮毛紧贴着他。

"月亮升起来了。"他慌忙从她身边走开,站到水坑边,"外面一定是晚上了。"

他的呼吸慢慢平静下来，他意识到大洞穴里的猫们正在不安地走动着。枭羽的幼崽们饿得哀号起来。松鸦羽心底异常难过,就像有利爪在抓挠。我能理解他们为什么不想留在这里了。

"你看!"半月走过来站在他身边,"水里能看到月亮。"

松鸦羽向面前的水坑看去,果然看到一个很小的新月倒影,是从洞顶的小孔中照进来的。半月眼睛一眨不眨地看着倒影。

"太漂亮了!"她耳语般地说,"这么小,就像一道爪痕。"

她用一只脚掌轻拍水面，月亮像银色翅膀一般拍动起来。然后,水面重新静止下来,倒影再次出现。半月好奇地咕噜一声,一次又一次轻拍水面。但无论她怎样搅动水面,月亮都在那里。

"它不放弃,对吗?"半月眨眨眼问松鸦羽,"它一直在这里,像这洞里的石头一样。也许我们应该像月亮的倒影一样,无论发生什么,都要坚持到底?"她向石洞深处走去,再次打量着四周的石头,

一种新的感悟从她眼里闪现出来。松鸦羽感觉到皮毛刺麻起来。

“它们已经在这里好多个季节了。”半月说，“如果我们留下来，我们的子孙能和这些石柱一样长存吗？”

松鸦羽跳到她身边：“是的，能！我保证。”

半月惊讶地看着他：“你怎么知道？”

“我就是知道。”松鸦羽回答，“相信我吧。”

她凝视着他的眼睛，目光变得温柔起来。“我相信你，一直都相信你。”松鸦羽感觉自己的尾巴缠住了她的尾巴。“要是其他猫也相信你就好了。”半月说。

松鸦羽从半月肩膀上看过去时，发现了一丝动静。岩石从远处一根石柱后面走出来，月光照在他光秃秃的身体上。松鸦羽颤抖起来。岩石用他那双眼球凸出的眼睛盯着松鸦羽，点了一下头。

“半月！”

一个尖厉的声音从小洞入口处传来，岩石的幻象淡去。松鸦羽和半月急忙分开，看到升月正站在通道口。

“半月，你在这里干什么？”升月责备地瞪了女儿一眼，她的声音冷得像冰，“松鸦翅，追云想和你说话。我到处在找你。”

松鸦羽礼貌地点点头，从她身边挤过，重新走进大洞穴内。追云仍然躺在那一小片沙地里。松鸦羽走过去时，他抬起头。“你救了我的命。”他孱弱地说，“谢谢你。”

松鸦羽用前掌刨着洞底。“我们都努力了。”他嘟哝道。

“简直不敢相信，我们竟然把那只大鸟打跑了！”追云的声音更有力了，眼里闪现出自豪的光。

“是的，你做到了。”松鸦羽告诉他，“你还能再次做到。如果我们努力，都能做到。”

“不能再那样了！”升月离他们很近，听到了他的话，“太危险。”

“她说得对。”闪电走到灰白色母猫身边，“我们为什么要冒着生命危险去捕猎？”

“因为这是在这里生存下来的唯一方式。”半月直面两只老猫，“如果我们训练得当，就不会每次都冒生命危险。”

升月眼里闪出愤怒的火光。她刚要张嘴反驳，但石歌插话了：“嗯，我们都累了，现在不是作决定的时候。我们先睡会儿，明天早上再讨论吧。”

有那么一刻，升月和闪电看上去仿佛还想争辩，但随后他们都转过身，怒气冲冲地向洞穴的另一边走去。石歌和半月各自在地上找到一个小坑，蜷缩起来，准备睡觉。

松鸦羽迟疑片刻，然后大步走到半月身边，她抬头看着他，温柔地咕噜一声。松鸦羽觉得，在她身边躺下是最自然和正确的事。通常，松鸦羽都躺在病得需要住进巫医巢穴的猫身边。但即使在那样的时候，他们也睡在各自的窝里。

这种感觉更好。松鸦羽想，然后困倦地打了个哈欠，闭上眼睛。虽然没有他在石头山谷巢穴里那样的苔藓和羽毛，但也很舒服……他听着半月轻微的呼吸声，渐渐进入了梦乡。

一声哀号从瀑布的轰鸣声中传来，松鸦羽从梦中惊醒。透过水帘照进洞中的灰色光线越来越强，他猜洞外的天空已经开始变成

鱼肚白了。黎明就要来了。他抬起头，看到枭羽的幼崽正在洞那边，用小脚掌踢打着母亲的腹部，想让奶水出来。

“对不起，孩子们。”枭羽难过地说，“我没有奶水给你们吃，因为我自己也没吃饱。”

悲伤的号叫声仍未停歇，其他猫也蠕动起来。曙河正在梳理皮毛，但大多数猫儿们都颓然地坐在地上。松鸦羽感觉到，他们的绝望像冰冷的浓雾一样，让大家喘不过气来。

“我们没机会回湖区了。”微风嘟哝道，“这地方会先让我们死在这里。”

闪电吃力地从洞底的一个小坑里爬起来，走到枭羽身边，把口鼻抵在她头上。“我们必须捕猎。”他宣布说，“我不会让我的孩子挨饿。”

鱼跳转向松鸦羽，用尾巴示意他：“松鸦翅，你昨天说的两只猫一组捕猎是什么意思？”

“不仅是两只猫一组。”松鸦羽从自己窝里爬起来，走过洞穴，站到其他猫中间。半月被他惊醒了，站起来，飞快地伸了个懒腰，跟着他走过去。“我们需要一个队伍来保护狩猎猫。”他继续说，“两三只最擅长捕猎的猫去捕猎，其他身体强壮和作战能力强的猫负责守望，严防大鸟袭击。”

“你的意思是说，去打那些能将猫叼到天上的鸟？”闪电听上去根本不相信他的话，“我倒想看看！”

“噢，不！”枭羽抬起头，发狂地说，“它们会把我的孩子偷走的！”

“那幼崽就不准出洞。”石歌走过来加入他们，“这里很宽敞，有

地方给他们玩耍。"

"不用担心。"曙河补充说,"我们不会在这里待很久的。"

"我们其他猫怎么办?"升月问,"居然想和那样的鸟搏斗,这主意太愚蠢了。"

"我可不这么看。"石歌回答说,"我们昨天的确把那只大鸟打跑了。好吧,追云受伤了;但如果我们能想出保护自己的最好办法,就不会有猫受伤。"

升月不相信地哼了一声。

"我想,我们应该试试松鸦翅的主意。"鸽翅说,"即使我们决定回湖区,也不可能空着肚子走那么远。"

"但我们怎样捕猎那么大的鸟啊?"鱼跳问,"我们又不能飞起来,在空中袭击它们。"

"不,我们只需要把它们引诱下来。"石歌听上去有些迟疑,仿佛知道他的建议不受欢迎,"然后,我们就能利用我们的技巧了。"

"不准用我的孩子!"枭羽怒视着他,用脚掌和尾巴紧紧护着三只幼崽。

"当然不会。"石歌安慰她说。

"我去当诱饵。"半月自告奋勇地说,"我假装受伤。"

松鸦羽感觉心头一紧。"不行。"他说,"我去吧,这是我的主意。"

石歌向他眨眨眼:"你会很危险的。"

"总要有猫去冒险。"松鸦羽回答道。他迫使自己的声音尽量平稳,但他心里却直发抖。他想象着自己被凶猛的鹰爪紧紧抓住,拽入天空的情景。"我们去还是不去?我们现在就需要食物。"

尽管有些猫好像还在犹豫，但已经有足够多的猫聚集到松鸦羽周围，可以组成捕猎队了。松鸦羽看着他们：石歌、闪电、半月、鱼跳和鸽翅。他惊讶地发现，卷蕨也在他们中间。他们看上去都很紧张，但也很坚定。

“走吧。”松鸦羽说着率先向洞外走去。他从瀑布后面走出来时，意识到大雪已经停了。呼啸的寒风已经转为清冷的微风，空中有几片雪花在飞舞。乌云仍在翻滚，但乌云之间已经露出片片天空。捕猎队踩着积雪，从瀑布边的岩壁上往上爬，一直爬到悬崖顶上。

松鸦羽深吸一口气。他从未训练过任何一只猫，尤其没训练过他们的战斗技巧。保护这些猫的安全是他的职责，不只是在他们故意引诱大鸟下来的时候，而且还要保护他们的子孙后代。这就是星权在握的含义吗？

“你们都躲起来，我会一直留在外面。”他指示道，“记住，一定不能让大鸟从上面看到你们。石歌、闪电和卷蕨，你们准备跳出来进攻；鱼跳、鸽翅、半月，你们躲在岩石后面观战。然后，我们再讨论战术。”

“你在外面被撕裂，我却袖手旁观，我不干。”半月抗议道。

她的关心让松鸦羽心里暖洋洋的。“如果遇到麻烦，你可以出来帮忙。”他对她说。

半月猛地甩了一下尾巴：“不准阻拦我！”

“大鸟来时我们怎么办？”鱼跳问，“我们总不能像抓黑鸟一样直接扑上去吧！”

“我想，我们应该进攻它的翅膀。”石歌建议道，“如果它不能

飞，就没法把我们带走。”

卷蕨点点头：“跳起来袭击它的脖子也不错，那是所有鸟的薄弱部位。我才不管鸟有多大呢。”

“好主意。”松鸦羽表示赞同，“现在，先去躲起来，别让它发现你们。”

其他猫应声散开，在岩石之间各就各位。

半月离开之前，鼓励松鸦羽说：“这办法一定行！我知道！”

但愿如此，松鸦羽想。但恐惧像一块寒冰，沉甸甸地坠在他肚子里。为了急水部落，我必须这样做。

他站在河边，感觉异常孤独。其他猫都已消失，他只能看到鱼跳的棕色尾巴尖，在雪地中异常醒目。他抬头凝望天空，灰蒙蒙的，一望无际，没有任何鸟的痕迹。他觉得肚子里空空的，胃部酸疼。

“看！”半月突然压低声音从附近的岩石后面说。

松鸦羽眨眨眼，再次凝望天空。一个很小的斑点出现了，在高空中懒洋洋地盘旋。他看着大鸟，感觉四只脚掌已被冻在岩石上。鸟飞近了，他认出那是一只老鹰，和他在急水部落听说过的一样，甚至比昨天袭击他们的那只更大。他振作起精神，等着它俯冲下来。但老鹰盘旋了一会儿却飞走了，对他并没有多大兴趣。

不要走！松鸦羽很想大喊一声。我是美味猎物！下来抓我吧！

他开始一瘸一拐地走动，还哀号一声，把一只脚掌提起来，假装受伤的样子。老鹰从天上飞过来，在空中转了一大圈，滑翔下来。松鸦羽渐渐看清了它弯弯的鹰爪和雪亮的黄眼睛。

伟大的星族啊！它好大哦！

他在雪地里蹲伏下来，嘴里发出惨叫声。老鹰翅膀遮蔽了日光，将他完全笼罩在阴影中。大鸟浓烈的气味扑鼻而来，他紧紧闭上眼睛。

但愿其他猫已经作好出击准备……

老鹰拍打翅膀的声音大得像雷声。然后，那可怕的鹰爪插进松鸦羽的肩膀，痛得他尖叫起来。与此同时，猫叫声已经在他四周响起。他的脚掌刚刚离地，躲在岩石之间的猫儿们已经冲了过来。

“抓翅膀！”石歌大声喊道，“不要让它飞走！”

他的话被尖厉的猫叫声和老鹰疯狂拍打翅膀的声音淹没了。松鸦羽看到卷蕨向老鹰的喉咙扑去，但差了一只老鼠身长那么远，他的爪子抓空了。半月狠命咬住老鹰翅膀的一边，但被老鹰拍打下来，她含着满口羽毛咚的一声落在岩石上。鱼跳紧紧拽住松鸦羽的尾巴，试图将他拽下来。

“不！放开！”松鸦羽尖叫道。由于增加的重量，他感觉自己的皮毛已经开始被撕掉了。

鱼跳急忙松开脚掌。一时间，松鸦羽以为老鹰胜利了，因为它已开始从悬崖顶上往上飞。他别无办法，只能无助地踢打脚掌。然后，石歌和闪电从两边冲过来，向老鹰翅膀跳去。两只猫同时将爪子插进它的翅膀，老鹰狂怒地号叫一声，却无法起飞，因为每只翅膀上吊着一只猫。他们将老鹰拽住的同时，鸽翅低头钻到老鹰身下，飞快地在大鸟的两条腿上分别咬了一口。

老鹰又发出一声沙哑的叫声，松开松鸦羽，他惊魂未定地摔落在岩石上。他看到石歌和闪电正向老鹰翅膀发起猛攻，用爪子奋力

撕扯羽毛。然后,他们跳到一旁的安全处。老鹰向天上飞去,羽毛洒落一地,两条腿都在滴血。松鸦羽气喘吁吁地看着它变成天空中的一个小点,然后消失了。

"你没事吧?"半月蹲在悬崖边上喘着粗气。但她看着松鸦羽时,那双绿眼睛在闪光。

"我没事。"松鸦羽说。不过,他肩膀上刚才被老鹰抓过的地方火辣辣的。

半月站起来,走到他身边,嗅嗅他的伤口。"我们应该用苔藓敷一下这些伤口,就像你昨晚为追云做的那样。"她说,"不知道这周围是否有酸模叶,止血效果很好。"

捕猎队的其他猫都吃力地站起来,检查各自身上的抓伤。

"我们做到了!"鱼跳声音沙哑地说。

"是的。"石歌的目光落在松鸦羽身上,"松鸦翅,你这个保护狩猎猫的办法可能行得通。至少,我们能够找到足够的食物吃饱肚子再离开。"他又向捕猎队的其他猫摆摆尾巴,补充说:"走,我们回去告诉大家。"

说罢,他领着其他猫沿着瀑布边的路向下走去,留下松鸦羽和半月待在悬崖顶上。

"我好为你担心哦。"半月用鼻子摩挲着松鸦羽的侧腹说,"我也为你自豪!如果我们有孩子,他们一定非常勇敢!"

孩子!"半月……"他尴尬地说。

他还没说出下面的话,就看到另一只猫从水边的大石头后面冒了出来。岩石!不要现在出来呀,求你了!

那只瞎猫站在那里等着。尽管半月正向那个方向看，可她却看不到他。

“你为什么不和其他猫一起下去呢？”松鸦羽建议道，“我马上就下来。”

“好的。”半月的绿眼睛里闪过一丝失望。但她没说什么，向悬崖下走去。

“现在你又想做什么呀？”松鸦羽不耐烦地问。

岩石没回答，他们并肩在悬崖边上站了一会儿。远处，一道红光照在积雪上，预示着太阳即将升起。

“基本还是老样子……”岩石感叹地说。然后，他转向松鸦羽：“你不能留在这里。你知道这点，对吗？”

“为什么不能？”松鸦羽问。他心里突然感到一阵剧痛。

“你现在的力量太强大，不能总是沉迷在过去。”

“我在这里也可以很强大！”松鸦羽抗议道，“我可以养育幼崽，把我知道的一切都教给他们。然后，我再回森林。”他恳求地看着岩石，“我……我不想离开。”

第十八章

“我们必须从这里出去！”藤池悄悄说，生怕那些心怀敌意的猫随时扑向她们。

“我们只是在这里探险，又没伤害他们。”梅花落说。她走到那些脚印边，好奇地嗅着。

“嗯，看上去好像不是这样的。”梅花落的若无其事让藤池很生气，“我们好像在入侵。我想离开。”

梅花落耸耸肩：“好吧。我们找条路出去。”

河那边有更多的地道口，通往黑暗深处。藤池从河上跳过去，走进第一个地道口。但她没走几步，就被一堵泥墙挡住了。

“不妙。”她告诉跟在她身后的梅花落，“这条走不通。”

她们退回洞里，走进另一个地道口，这次梅花落走在前头。刚开始时，这条地道好像很有希望，向上延伸，偶尔洞顶还有一道裂缝，透进一些日光。但后来梅花落突然停下脚步，因为地道陡然转弯，向一边拐去。

“该死！”她骂道。

藤池伸长脖子，从族猫身边看过去。在微弱的光线中，她依稀

看到一堆小石头，还有一块高耸的岩石直达洞顶，封住了地道。她们再次回到洞里，藤池的心跳加快了。“我们必须顺着来路返回。”她说，“但愿有猫从洞边经过，把我们弄出去。”

梅花落叹息一声：“恐怕只能如此了。”

但是，当她们跳回河那边时，藤池第一次注意到，洞这边也有好几条地道。“你记得我们是从哪条路来的吗？”她问族猫。

梅花落摇摇头：“我们必须循着气味踪迹走了。”

但潮湿的岩石上没有留下任何残留的气味，而且，除了水边之外，硬硬的地面上没有留下一丝脚印。

“我们迷路了！”藤池惊叫道。

“没事的。”梅花落安慰她说。不过，藤池听出她的声音也有点惊慌。“我们随便选一条地道吧。走！”她说着从洞里跑过去，钻进一个黑乎乎的地道口。藤池几乎可以肯定不是那条地道，但仍然跟着族猫跑去，生怕和她分开。

“等等！”她喊道，“我们不能——”但她话还没说完，便听到前头传来石头哗啦啦落下的声音。“梅花落！”她喊道，“怎么回事？”

没有任何回答。藤池吓得瘫软下来，但不得不强迫自己挪动脚步，顺着那条地道往前走。她刚走出几步，就隐约看到了梅花落：玳瑁色武士正一动不动地躺在地上，身边散落着一些石头。藤池抬起头，看到洞顶有新鲜的凹痕，估计那些石头就是从那里落下来的。

“梅花落？”她在族猫身边蹲下，轻轻喊道。星族啊，请不要让她死！

然后，她欣慰地看到，梅花落的胡须抽动了一下，眼睛睁开了。

“藤池？”梅花落喃喃地说道，“出什么事了？我的头好痛。”

“我想是洞顶掉落的石头砸中你了。”藤池回答，“你能站起来吗？”

梅花落用脚掌扒拉着地面，将肩膀从地上抬起来，但痛得哼了一声，重新倒下去。“一切都在旋转。”她抱怨道，她的眼睛睁得很大，目光惊恐，“藤池，你觉得我们会死在这里吗？”

“当然不会。”藤池对她说。

“但万一呢？你觉得米莉会想念我吗？”

藤池立即同情起她来。“当然！”她安慰梅花落说，“米莉像爱荆棘光一样爱你。”

藤池安慰族猫的同时，想到鹰霜可能就是这样赢得梅花落的信任的：承诺给她机会，让她像姐姐荆棘光一样受到关注。

他也是这样离间鸽翅和我的。

藤池心里很难过。她知道，梅花落之所以如此嫉妒姐姐，是因为她妈妈和族猫们都把很多时间花在了荆棘光身上。但荆棘光失去了双腿呀！

不过，藤池想，我也不觉得鸽翅拥有的天赋是件很有趣的事，也许我们俩都应该感谢我们已经拥有的……

梅花落迟疑了一会儿，然后耸耸肩。“也许等米莉想起她的孩子不止一个时，她也会爱我。”她伸出前掌，抓挠着地道里的坚硬石头地面。她抓得非常用力，但却没扭伤爪子。藤池感到很惊讶。“我讨厌自己妒忌荆棘光。”梅花落承认道，她没看藤池，“我无法忍受看到她受苦。我还知道，如果能重新好起来，荆棘光宁可付出一切。

这太不公平了！”她又把爪子从岩石上划过，补充说：“但我就是无法控制自己，这证明我不是一只好猫。”

“你当然是好猫！”藤池惊愕地说。

“不是，好猫不会妒忌受伤的同窝猫。正因为如此，我才去了黑森林。”她斜着眼睛看了藤池一眼，“我不傻。我知道，黑森林是不能去星族的猫待的地方。但我相信，我也去不了星族，因为我恨姐姐受伤。因此，黑森林才是适合我的地方，在那里我还能受到很好的训练，比这里的好多了。”她深深地吸了一口长气，颤抖着将气呼出来，并看看四周，“你觉得鹰霜会来接我们吗？”

“我已经告诉过你了，我们不会死！”藤池打起精神，将信心灌注在她说的每一个字中。但万一我们死了呢？一想到永远被困在黑森林，她就无法忍受。“梅花落，你可以再试一下能否站起来吗？”

“也许能。”梅花落把腿收到身下，吃力地站起来，但她看上去仍然很虚弱。

藤池正在担心族猫能走多远时，忽然听到身后传来很轻的脚步声。她身上的每一根毛都直立起来，感觉仿佛冰水正在漫过全身。她鼓起全部勇气，转过身。

一只陌生猫从阴影中走出来。那是一只瘦骨嶙峋的公猫，姜黄色皮毛，困惑的眼睛大睁着。他气喘吁吁地说：“我在等另一只猫。”

“什么另一只猫？”藤池问，她的声音在颤抖。

陌生猫没理她，他正用迷惑不解的目光打量着她和梅花落。“两只猫？”他说，“你们没事吧？”

“没事。”藤池心里很害怕，不想浪费时间去想这只陌生猫是

谁，他在这里干什么。“我们得出去，我的族猫受伤了。”

“但是，如果我告诉你们出去的路，”陌生猫说，“这里就又只有我自己了。你们总是承诺要回来，但一直没回来。”

藤池看着他，“我们以前从没来过这里！”她说，“请你把我们送出去吧。”

姜黄色公猫故意刁难地抽抽耳朵。“没必要叫喊。你们如果不想留在这里，就不该下来的。这样做不安全，除非你很清楚自己在干什么。”

“嗯，我们不清楚。”藤池回答说，她不知道该如何让公猫接受她的恳求，“我们只想回家。”

陌生猫走近一点，怀疑地眯起眼睛，先嗅嗅藤池，再嗅嗅梅花落。他嗅藤池的时候，藤池很紧张，他的气味把她吓坏了，他闻上去有股泥土和水的气味，还有冷冰冰的远古石头的气味。

“你说得对，你们不属于这里。”他说。接着，他又轻快地补充说：“好吧。沿着这条地道往前走，走过那块蘑菇形状的岩石之后拐弯，再走大约十只狐狸身长那么远，就能看到地道分成三条小地道，走中间那条。那条地道应该是通向上方的，你们会遇到一堆石头，但顶部的空隙足够宽，你们能挤过去。从那里就能看到出去的路了。”

藤池竭力记住公猫说的话，但感觉脑袋嗡嗡响，仿佛一棵装满蜜蜂的空心树。“你能给我们带一下路吗？”

“不能。”姜黄公猫已经开始往后退，“你们必须自己出去。”

藤池还没来得及再次发话，他已经消失到阴影中。“癞皮猫！”

她狂怒地甩着尾巴，向公猫消失的地道看了一会儿，然后转头看着梅花落，“来，我们走。”

她让梅花落走在前头，怕她万一再跌倒。她们沿着地道往前走，找到了姜黄公猫提到的那块蘑菇形状的岩石。但转弯之后走进去的那条地道漆黑一片，她们很快就全然不知自己身在何处了。

她们小心翼翼地往前走。然后，藤池说："我相信我们已经走了不止十只狐狸身长那么远了，但还没发现地道分岔的地方。"

“也许我们已经走过了，没注意到。”梅花落猜测说，“我想，我们必须往回走。”

“好吧。”藤池转过身，向黑暗中走去，睁大眼睛寻找任何光亮的踪迹。但眼前只有无尽的黑暗。

“到现在为止，我们应该已经到达第一个转弯处了。”梅花落说，她的声音在颤抖。

“我知道。”藤池说。就在这时，她意识到一股微弱的风正吹拂着她身体一侧的皮毛。“我想是这里。”她欣喜地说，“走这边。”

但她们几乎刚刚走进新地道，藤池就意识到她们又走错了。前面没有蘑菇形状的石头，那条地道向下延伸，而且很陡。她向前走时，脚掌在湿滑的岩石上不停地打滑。

但愿我们不用往回走了，梅花落肯定无法从这条路爬上去。

但不久之后，藤池就看到地道远处有微弱的光。“有希望了！”她鼓励地喊道，并加快步伐。

梅花落吃力地跟上来。藤池走出那条地道口，失望地低吼一声，原来她们又回到了有地下河的那个洞里。

“简直不敢相信！”梅花落嘶声说，颓然倒在地上，“我们永远出不去了。”

“真遗憾，我没问下那只猫叫什么名字。”藤池说，“不然我们可以喊他。”她愤怒地抽动着胡须，又补充说：“不过，我猜喊他他也不会出来的。”

梅花落侧身躺在地上，急促地喘着气。“对不起。”她低声说，“这都是我的错，是我想下来的。”

“我也有错，我本来应该阻止你的。”藤池说。

“怎样阻止？”梅花落眼里竟然闪出一丝幽默，“把我的尾巴拽住？”

藤池打趣地喷了个鼻息，情不自禁地想象起那副情景来：她用牙齿死死咬住梅花落的尾巴，玳瑁色武士的身体在洞口晃荡。

“走呀！你们还在等什么？”

声音是从她们身后传来的，藤池僵住了，她身上的毛直立起来，心里充满恐惧，脚掌一阵刺麻。过了一会儿，她强迫自己转过身去，她什么也没看到。不过，在洞穴最阴暗的隐蔽处，是不是有双眼睛在闪光？但她非常清楚的是，那不是她们先前遇到过的那只姜黄色公猫。

“你们想出去，是吗？”那个声音继续说，听上去有些不耐烦，“你们知道，你们不该来这里的。”

“嗯，是的。请帮帮我们吧！”梅花落恳求道。

“很好，跟我来。”

藤池看到一个深色猫影闪进几条尾巴开外的一条地道里。但

无论她怎样睁大眼睛看，都无法认出那只猫是谁。她把梅花落拉起来，跟着那只猫向前走去。地道又窄又黑，藤池根本看不到前头那只猫，只能从脚步声，还有泥土、水和森林植物的气味，判断出那只猫的存在。

这条路很长。她们走过弯弯曲曲的地道，穿过一些交叉口，梅花落的脚步踉跄起来。后来，地道变得宽了一点，藤池才可以和她并肩前行，让她靠到自己肩膀上。

"还很远吗？"藤池向前头那只猫喊道。

没有任何回答。但她们刚刚转过下一道弯，就看到前头出现了明亮的日光。通向那束阳光的小路很陡，盖满泥土，泥土上有零星的脚掌印，可救她们的猫已经消失了。

"那只猫去哪里了？"藤池不解地问。

梅花落已经累得说不出话来。她拖着脚步走到地面上，在一根橡树树桩边瘫倒下来，沐浴在一团阳光中。藤池环顾四周，仿佛看到几条尾巴开外的凤尾蕨中有动静。

"谢谢你！"她喊道。

还是没有任何回答，与此同时，那丝动静也停止了。地道口就在岩石中间，有水从洞口流下去，形成一个小水坑。藤池捞起一把苔藓，在水里浸湿，让梅花落舔食苔藓中的水。

"谢谢！"母猫喘着大气坐起来，"哇，这地方真奇怪！重新回到阳光下的感觉真好。"

"我们最好回营地去吧。"藤池说，"你还能走吗？"

"我希望能。"梅花落坚强地说。

藤池仔细打量着族猫，不确信她是否还能走。两只猫都已筋疲力尽，身上脏兮兮的。由于在硬石头上走了太长时间，她们的脚垫都裂开了。除了在黑森林训练中受的伤之外，梅花落头上还被石头砸了个包，肿得很大，眼睛几乎都眯成了两条缝。

“我们慢慢走吧。”藤池说。可她甚至都不清楚她们身在何处。这里树太多，不可能是风族领地，她环视着参天的橡树和山毛榉，还有大树之间丛生的矮树。但万一我们现在正在影族领地中央怎么办？万一遇上巡逻队怎么办？

她没把自己的担心告诉梅花落，但她看到族猫也意识到了这些危险。她很紧张，矮树丛里一有动静，她就会惊得跳起来。藤池每走一步，就紧张得脚掌发麻。当她闻到前面铺天盖地的雷族气息时，才欣慰地舒了一口大气。没过多久，她们已经越过雷族边界，进入自己的领地。

“感谢星族！”梅花落欣喜地喊道，“藤池，你觉得回到营地后，我们应该怎样说？”

“不能说实话。”藤池立即回答。

梅花落停下脚步，她身上的毛竖了起来。藤池急忙补充说：“反正我们已经在骗族猫了，因为我们没告诉他们黑森林的事。”

“这不一样。”梅花落嘟哝道。

尽管藤池没有反驳她，但她心里想，撒一次谎或几次谎没有多大区别。

“我们就说迷路了。”梅花落继续说，并继续一瘸一拐地往前走。

嗯，这也不完全诚实，对吗？藤池想。“对，本来就迷路了。”她

大声说。

她们走到离石头山谷不远处时,都努力加快了脚步。但她们跌跌撞撞地穿过荆棘通道,走进营地的时候,已经快到正午了。几只族猫正蹲伏在新鲜猎物堆边。藤池看到沙风和刺掌已经捕猎归来,火星和灰条都在那里,还有她母亲白翅和其他几名资深武士。她强打精神,准备挨训。当她和梅花落走上前去时,族猫们都抬起头看着她俩。蕨毛嘴边有根老鼠尾巴在晃荡,栗尾鼻子上粘着一根黑鸟羽毛。

"你们怎么回事?"沙风说着站起来,向她们走去,"刺掌和我还以为你们一定追逐猎物去了……你们什么也没捕到?"

梅花落摇摇头:"我们迷路了。"

藤池意识到这个解释听上去一点也站不住脚,难怪一些猫会怀疑地看着她们。当火星一摆尾巴,示意她们过去时,她的心跳得更快了。雷族族长眯起他那双明亮的绿眼睛,仔细打量着她们。"你们迷路了?"他的声音在石头山谷中回荡,"在雷族领地上?"

"还有,看你们的样子,像是被什么猫拉着尾巴从黑莓丛中拽出来似的?"刺掌问,"你们遇到泼皮猫了?或者是风族猫?"

"没有。"藤池说,"我们只是——"

"藤池!"幸好,藤池的母亲白翅走了过来。她从刺掌身边走过,愤怒地瞥了火星一眼。"她们去过哪里重要吗?她们显然受伤了。"她一边舔着藤池的脸和脖子,一边说:"我一直认为你们是被新叶季的什么猎物吸引了,不敢想象你们会遇到真正的麻烦。"

"我们其实没什么。"藤池说。

白翅的绿眼睛里闪着慈爱的光。“一个女儿不在身边已经够我受的了。”她说，“我不能让另一个也从我眼前消失。”

藤池注意到，米莉已经从巫医巢穴出来，正帮着荆棘光向新鲜猎物堆挪动。她好像没注意到梅花落，直到白翅喊她。

“米莉，梅花落和藤池迷路了，看上去吃了不少苦。”

米莉抬起头。然后，她让荆棘光继续从空地上往前爬，自己则大步向梅花落走过来，并愤怒地抽动着尾巴尖。

唉，藤池感到很不安，因为白翅对她太好了。米莉现在真的认为她只有一个孩子了。

“你跑到哪里去了？”米莉呵斥道，“你本来该捕猎的，却浪费了整整一个上午！”她回头看着荆棘光，荆棘光正吃力地向新鲜猎物堆边的猫群爬去。米莉又说：“如果能为族猫捕猎，你姐姐愿意放弃一切！梅花落，你也该长大了，应该开始表现得像个武士了。”

几只猫瞪大了眼睛。

“她们也没造成什么伤害。”蕨毛说，并关心地向梅花落眨眨眼，“两只猫都安全回家了，这才是最重要的，对吗？”

“对吗？”米莉缩起嘴唇，龇出牙齿，满眼痛苦地向荆棘光走去。

藤池觉得很难堪，急忙走到梅花落身边。“你母亲不是故意的……”她说。

梅花落一摆尾巴，示意她别说了。“随她吧。”她嘟哝道。她的目光一直追随着米莉，看着她帮助荆棘光从新鲜猎物堆上取了一只肥美的野鼠。“现在只能这样了，我最好适应吧。至少，我在黑森林里还能得到关注。”

她的话让藤池感到一股寒意掠过全身。她看着和睦地聚集在新鲜猎物堆边的族猫们，心里想：不知道还会有多少其他猫会听信鹰霜的谎言。最后的战斗开始时，这些猫中的任何一只都可能攻击自己的族猫！

第十九章

“求求你。”松鸦羽恳求道，“让我留在这里，和半月在一起吧。这是我唯一的机会，像族猫一样生活，养育幼崽，和伴侣一起老去。”

“你回到这些猫中间不是为了这个。”岩石阴沉地说，“这也不是半月的未来，她必须成为第一任尖石巫师。”

“为什么？”愤怒和沮丧像鹰爪一般撕扯着松鸦羽的心，“为什么不是其他猫？”

“因为半月能看懂倒影的意义。”岩石回答说，“她看到了月亮传递的信息。”

“任何一只猫都能看到的！”

岩石摇摇头：“她的命运不是生育幼崽，和族猫们过相同的生活。你必须让她明白这一点。”

“你不能自己去吗？”松鸦羽已经怒不可遏，“为什么非让我去？你早就知道会发生什么，知道我会对半月产生感情？”

岩石点点头，承认自己知道这一切。“你星权在握，松鸦羽。有些事情你必须做，无论它们有多难。”

“这不公平。”松鸦羽伸缩着爪子，“你也不能强迫我。”

他转过身，想去洞穴中找半月。但岩石突然站在他面前，挡住了他的去路。尽管岩石瘦骨嶙峋，浑身无毛，眼睛也看不见，力气却大得出奇。

“如果必须强迫你，我就只能这样做。”他低声警告松鸦羽，“你以为那个预言是哪里来的？这是你的使命，你和半月的。”

松鸦羽气得浑身颤抖。他从岩石身边挤过，从瀑布边上往下走去。但由于心里的愤怒，加之先前与老鹰搏斗时留下的伤痛，他没走几条尾巴远，就一脚踩空，跌落下去。他落在水池边的地上，被摔得差点背过气去。他挣扎着站起来，发现升月正在瀑布后面那条小径的尽头。当她向松鸦羽走过来时，他强打精神，准备接受更冷酷的责骂。但她走近时，他却看到她的目光异常温柔。

“感谢你的勇气，松鸦翅。”她说，“如果我们能在这里生存下来，等足够强壮时再回湖区，你可就帮大忙了。”

松鸦羽跟在她身后回到洞里，看到大多数猫都聚集在石歌和捕猎队周围。

“然后，我们向老鹰翅膀扑去……”石歌边说边奋力跃向空中。

枭羽的三只幼崽正张大嘴巴听得出神，暂时忘掉了饥饿。

“来，强袭。”一只幼崽对同窝猫说，“我当老鹰，你和奔狐袭击我。”

“你太霸道了，叠波。”另一只幼崽回答，“我想当老鹰！”他向同窝猫扑去，三只幼崽在地上扭打起来。

看到小猫们又像幼崽一样顽皮起来，松鸦羽忍不住发出咕噜咕噜的笑声。他第一次在这些猫中间感觉到了乐观和轻松。

“就这样，老鹰松开松鸦羽，飞走了，我们胜利了！”石歌讲完了。

聚集在他周围的猫都欢呼起来。石歌让他们喊了一阵，然后竖起尾巴示意大家安静。“我们需要一支捕猎队。”他继续说，“闪电，你跟我去。鸽翅和鱼跳，你们最擅长打老鹰，因此，我们负责保护狩猎猫。”

“升月和曙河负责捕猎。”闪电赞同地点点头，“他们在湖区就最擅长捕猎。”

“对。”石歌一摆尾巴，示意捕猎队集合，“我们再带上微风吧，暂时应该就够了。”

捕猎队向洞口走去。其他猫站到一起，目送他们离开。“祝你们好运！”半月喊道。

“给我们带好吃的回来！”奔马补充说。

松鸦羽知道，他应该充满希望。尽管这些猫仍然在考虑回湖区，但他们现在至少在努力地适应山地生活。可他无暇去憧憬未来，他现在要考虑的是如何教半月成为尖石巫师，然后独自回到自己生活的族群时代。

捕猎队从松鸦羽身边走过，向瀑布后的小径走去时，石歌向他点点头。“我们对你感激不尽。”他说，“你付出了那么多，应该留在这里休息一下。”

松鸦羽点点头，但心里却很痛苦。他们把我当成他们中的一员了。

但我却一直属于很远、很远的地方。

半月向他跑过来。“你能再出去下吗？我一直在想你昨天发现的那些药草。就是我们从积雪里出来之后发现的，我们应该去看看

还有没有其他的。”

松鸦羽凝视着她那双急切的眼睛，心情更加沉重。“我们到有尖石头的洞里去一下，可以吗？”

半月不解地看着他，然后点点头：“如果你想去就去吧。”

他们从洞里走过时，松鸦羽看到怯鹿正躺在枭羽身边。她的肚子胀得高高的，里面正尴尬地鼓动着。她的幼崽们很快就会出生了，他想。

半月停下脚步，用尾巴尖摸摸怯鹿的肩膀。“现在没事了。”她说，“捕猎队会带回来一些猎物的。”

松鸦羽走在前头，他们沿着通道走进尖石洞。曙光从洞顶的小孔中照射进来，将水坑变成一张张闪着微光的银箔。松鸦羽依次打量着每根石柱，一切看上去都和急水部落时代一样。即使他那时看到的石头有所变化，现在他也看不出来。滴水声声，光影斑驳，岩洞仿佛充满了生命力。

“不知道是否有其他猫来过这里。”半月说，她的声音在岩洞里回响，“你觉得月亮每晚都会照进水坑吗？”

松鸦羽难受地吞咽着：“我有事情要告诉你。”

半月走到他身边，用那双美丽的绿眼睛期待地看着他：“什么事，松鸦翅？”

松鸦羽深吸一口气，低头凝视着水坑，说：“我跟着你们来这里是有原因的。我……我知道一些你不知道的事情。”当他壮着胆子抬起头，再次去看半月时，看到她正顽皮地把毛蓬松起来。她显然以为她知道他要说什么。

“不……不是那样的。”每一个字都像是被松鸦羽从嘴里逼出来的，“半月，这是你和所有湖区来的猫命中注定要来的地方。其他猫以前就在这里生活过，而且生存下来了，尽管这里看上去如此艰苦。但你们不能回去，你们的未来在这里。”

半月惊讶地看着他，仿佛他突然长出了第二只脑袋，但他不得不继续说下去。这是松鸦羽做过的最艰难的事情。我宁愿面对山地的所有老鹰，也不愿告诉她这些。

“你会成为他们的族长。”他继续说，“这个洞将成为你的巢穴，你的祖先会通过水坑向你传递信息，就像你昨晚看到的新月倒影一样。你的称号是尖石巫师，这是你的使命。”

半月沉默了一会儿。然后，她终于说：“这名字可真够长的！”她的声音在颤抖，松鸦羽分辨不出她是出于愤怒还是欢喜：“你是在开玩笑吧？”

“不。我发誓没开玩笑。”但他看到半月那双绿眼睛时，他的心沉了下去。那双眼睛曾经那么温柔地凝视过他，现在里面冒出的却是怒火。

“你跑这么远来，就是为了告诉我这些？”她勃然大怒，“你这些愚蠢的想法是从哪里来的？松鸦翅，我已经向你表达了我的感情！我想为你生孩子，这难道很可怕吗？如果你不感兴趣，为什么不拒绝我，像任何普通公猫一样？”

她的愤怒，她遭到背叛的感觉，像一道道凶猛的波浪，向松鸦羽打来。他被卷进巨浪之中，仿佛即将被淹死。他无奈地说：“这与我毫无关系，这是你的使命！对不起！”

半月狂怒地瞪了他一会儿，然后，她旋风般转过身，冲出洞去。

“等等——”

松鸦羽跑步跟上去。当他跑出通道时，看到她正穿过大洞穴，向洞口跑去。她不能单独出去！危险！

“站住！”他喊道。

半月没理他。但接着，一声微弱的哀叫从洞边传来，怯鹿正躺在那里。“半月，帮帮我！我的孩子要出生了！”

半月停下脚步，然后转过身，寻找松鸦羽。“松鸦翅！过来！”她喊道。

松鸦羽急忙跑过洞穴，在怯鹿面前迎上她。枭羽也正向这边走来，但她的速度很慢，她的幼崽们正在她脚边跑来跑去。

“回去，待在那边。”母猫责骂着她的幼崽们，“这不是小猫们的事。”

“但我们想看看！”强袭抗议道。

“不行！到那边去玩，不要发出太大的声音，怯鹿正在拼命。”

松鸦羽低头看着即将生产的母猫，不得不同意枭羽的看法。怯鹿正惊恐地瞪大眼睛。对于她这样娇小的母猫来说，她那肚子太大了。松鸦羽不知道她会产多少只幼崽。

“请帮帮我。”她无力地说，“我不知道该怎么做。”

松鸦羽意识到，怯鹿很害怕，他自己心里也很难过。怯鹿本应该在像样的育婴室生产，躺在柔软的苔藓和凤尾蕨中间，而不是在这石头洞底，甚至都没有适当的药草可以吃。

但至少有巫医在她身边，他想。

“半月，”他说，“你还记得我们帮追云拿苔藓的地方吗？你能再去拿一些，并浸满水带回来吗？这样怯鹿就能喝水了。”

半月点点头，飞快跑去。

“枭羽，我需要一根棍子，干净结实的，这样阵痛到来时，怯鹿可以咬住棍子。你应该可以在水池周围的灌木中找到。”

听到这样的命令，枭羽惊讶地眨眨眼睛。但她没反驳，而是边向洞口走，边回头喊道：“别让我的孩子们跟着我出去。”

松鸦羽将注意力转回到怯鹿身上。现在，仿佛一排排巨浪正从她肚子上滚过。她痛苦地喘息着。

“尽可能放松。”松鸦羽指点道，“很快就要生了。”

半月嘴里叼着一团湿苔藓重新出现。她在怯鹿脑袋边坐下，帮助她喝水，然后温柔地舔着她的耳朵，让她安静下来。

又一阵波浪从怯鹿肚子上滚过。她痛得尖叫一声，开始痉挛起来。

“很好。”松鸦羽安慰她说，“你配合得很好。”

枭羽叼着一根棍子走回来，将它放在怯鹿身边的地上，让怯鹿紧紧咬住。“你觉得有几只幼崽？”她问松鸦羽。

松鸦羽用前掌摸摸怯鹿的肚子。“至少三只。”他回答，但随即意识到，其他猫一定很奇怪，他怎么会懂接生。“坚持住，第一只就要出来了。”

怯鹿的肚子振动起来。就在松鸦羽听到棍子被她的牙齿咬得嘎吱响时，一小团湿润的毛团向洞底滑去。半月用脚掌接住毛团，轻轻将它推给怯鹿。

“是只小公猫。”她说，“多漂亮啊！”

怯鹿侧头看着自己的幼崽，所有的恐惧从她眼里消失，取而代之的是抑制不住的母爱。“它是黑色的，就像黑须。”她说着低头舔舔幼崽的毛。

松鸦羽用一只脚掌在她肩膀上戳了一下，“集中注意力，还有呢。”

“好的。我——啊！”阵痛再次袭来，怯鹿痛得喊出了声。

松鸦羽按摩着她的肚子，半月轻轻拍着她的头。“深呼吸。”她鼓励怯鹿，“很快就好了。”

随着她的话音，第二只幼崽滑了出来。松鸦羽轻轻用两只前掌接住幼崽，将它放到同窝猫身边。“又是一只公猫。”他说，“下一只很快就出来了。”

就在怯鹿准备让下一只幼崽降临世界的同时，松鸦羽听到洞外传来阵阵欢呼声。他扭过头去，看到捕猎队正走进洞口。石歌叼着一只野鼠，闪电拖着一只巨大的雪白野兔。

“我们成功了！”鱼跳跑到洞中央，“一只老鹰向我们俯冲下来，但它看了一眼我们的爪子，就重新飞走了。”

“我们应该能找到抓鸟的办法。”鸽翅说，“如果抓到一只老鹰，我们大家能吃好几天！”

然后，捕猎队安静下来，他们看到了洞里正在发生的事。石歌放下野鼠，冲过洞穴，在怯鹿身边停下脚步。“她的幼崽出生了！”他惊喜地说，“她没事吧？”

“她会好的。”松鸦羽回答。怯鹿的第三只幼崽——一只小母

猫——已经出生了。石歌低头看着精疲力竭的猫后，对松鸦羽的回答有些怀疑，但他没说出来。来这里的漫长旅程已经让怯鹿疲惫不堪，加之伴侣去世，她悲伤过度，洞里的生活看上去依然前景黯淡。但至少捕猎成功了。

"给她拿点吃的过来。"他指示道，"兔肉吃完之后，可以用兔皮给幼崽保暖。"

怯鹿的三只幼崽已经开始蠕动身体，吱吱叫起来，她引导幼崽向奶头边靠近。但松鸦羽用一只前掌挡住幼崽，将另一只前掌放到她肚子上。

"还没生完呢。"他告诉怯鹿，"里面还有一只幼崽。"

怯鹿用尽力气发出一声尖厉的号叫，最后一只幼崽滑落出来，一动不动地躺在洞底的岩石上。

"太好了！"半月欢呼道。

怯鹿累得瘫软下去。半月引导幼崽们爬到她肚子上，每只幼崽叼着一只奶头，开始吮吸起来。他们吱吱的抱怨声渐渐消失。

松鸦羽用一只脚掌轻轻抚摸着第四只幼崽。这又是一只公猫，金色皮毛，尽管个头很小，但看上去却很健康。不过，他仍然没动。

"他死了吗？"半月悄悄问。

松鸦羽能感觉到微弱的心跳，但幼崽好像没有呼吸。"他没死。"他回答，"我不会让他轻易放弃的！"

他从幼崽嘴里掏出一点黏液，然后开始用力地舔他，将他的毛向反方向舔，让幼崽暖和起来，加快身体的运转。怯鹿抬起头，焦急地看着。突然，那只微小的幼崽在松鸦羽脚掌间蠕动起来。他深吸

一口气，冲着松鸦羽大叫一声。松鸦羽凝视着熟悉的金色皮毛，还有那宽阔的肩膀，惊讶这么幼小的身体会蕴藏着如此大的力气。

“他的咆哮声简直像狮子。”松鸦羽身后的一只猫说。

“那我们就叫他狮吼吧。”怯鹿自豪地说。

不，松鸦羽想。这是狮焰。欢迎你，哥哥。

他在幼崽耳朵中间舔了一下，将他推到怯鹿肚子上。幼崽趴在同窝猫身边，用力吮吸起来。松鸦羽回过头去，在簇拥在四周的猫中间看到了鸽翅。那只灰毛母猫正好奇地瞪大眼睛，看着怯鹿给幼崽哺乳。

你也在，松鸦羽想。多奇怪啊！在我们的时代，她也叫鸽翅。他看看鸽翅，又看看狮吼，在心里对自己说，现在，我们三个都在这里，尽管另外两个还没意识到。三力量已经降临！

突然，他感觉到肩膀边有熟悉的气息。

“差不多是时候了。”岩石耳语道。

松鸦羽一愣。有那么一会儿，他很想不去理会这只远古猫的警告。但后来他还是无奈地叹息了一声。他知道，和命运抗争是没用的。他环顾四周，寻找着半月，然后走到她身边，低声说：“走，我们出去呼吸点新鲜空气。”

半月点点头，跟着他走出大洞，沿着瀑布后的小径往前走，然后从瀑布边爬上岩壁。松鸦羽惊讶地发现，秃叶季短暂的白天已经结束，月亮已经升起，比昨晚的更亮更大一点。

半月站在悬崖边，仰头看着细细的新月。微风吹动着她的皮毛。“它还在。”她轻声说。

多奇怪啊！
在我们的时代，
她也叫鸽翅。
有熟悉的气息。

差不多是时候了。

唉！

走。我们出去呼
吸点新鲜空气。

你将再次离开我，是吗？
对不起。我也
希望能留下来。

相信你的话，
因为我信任你。

"是的,而且永远都在。"松鸦羽回答,"就像你和子孙后代将永远在这里一样。半月,你要让他们留下来,说服他们相信有了新的捕猎方法,他们能在这里生存下去。你必须利用你掌握的全部药草知识照料他们。"

半月焦急地瞪着那双绿眼睛,抗议说:"我不想当族长。"

"那你就自称是他们的巫师吧。"

母猫把脸转向一边,仿佛不想松鸦羽看到她眼里的痛苦。"你真的相信这些,是吗?"

松鸦羽向她身边走近一点,用口鼻摩挲着她的耳朵尖。"是的,我相信。这都是命中注定的,无论我多么不想这样。"

半月长叹一声,闭上眼睛,靠到松鸦羽身上。"你将再次离开我,是吗?"

松鸦羽点点头。"对不起,我也希望能留下来。"他舔舔她的耳朵,但知道这根本不可能带给她安慰,"你将成为伟大的巫师。"他说,"让月亮和星星指引你。我向你保证,一切都会好的。"

半月抬眼看着他,喃喃说道:"我相信你的话,因为我信任你。"

松鸦羽退后一步,月光照在他们身上,将半月那身白毛变成了银白色。他知道自己必须说什么, 仿佛头脑中有一个声音在催促他。"从此刻起,你将被称为尖石巫师,以后会有其他尖石巫师接替你。好好选择他们,训练他们,将部落的未来托付给他们。"

"部落?"半月重复道。

"是的。"松鸦羽回答,"你们现在已经是个部落了。团结一致,互相忠诚。这不容易,但其他猫会明白的,知道需要做什么,才能让

你们在这里永远安全地生活下去。”

“我会想你的。”半月的声音好凄凉。

“我也会想你。我永远不会忘记你。我发誓。”

松鸦羽向她探过身去，他们碰碰鼻子。如果……松鸦羽难过地想。

半月先离开了，松鸦羽目送她离去。她迈着优美的步伐，从瀑布边走下去，在小路尽头停下脚步，回头看了他一眼，然后消失在洞口。

“再见，尖石巫师。”松鸦羽说，“愿杀无尽部落永远照亮你前行的路。”

第二十章

“该死！谁说夜里训练是好主意？”刺掌嘟哝着从一根很长的黑莓藤上脱身开来。他身上的一撮虎斑毛被挂掉了。“我连自己的脚掌都看不见！”

狮焰忍不住咕噜地笑起来。“是火星。”他说，“你知道的，他想让我们磨砺技能。”

刺掌不满地哼了一声，跟在其他队员身后往前走。狮焰走在最后。他竖起耳朵，但除了族猫们的脚步声，以及微风中树枝的沙沙声之外，他什么也没听到。森林里凉爽宁静，只有一弯细长的新月照着猫儿们脚下的小路。

蕨毛是领队。他走到下一片空地上时，停下脚步说：“对，这就是训练。我们分成两个队。我带一个队，队员是刺掌、黄蜂条和桦落。栗尾，你带另一个队，队员是藤池、狮焰和莓鼻。”

“我们准备做什么呢？”莓鼻用脚掌拨弄着枯叶问。

“每个队必须接近废弃的两脚兽巢穴，并占领它。”蕨毛解释说，“当然，同时阻止另一个队占领巢穴。如果能追踪到对方队员，并逮住几个，就更好了。”

“听上去很好玩！”黄蜂条兴奋地说。

栗尾竖起尾巴：“蕨毛，我们不会真打，对吧？如果我的队员扑倒你的队员，就算我们赢了。对吗？”

“你做梦吧！”蕨毛向伴侣眨眨他那双温柔的琥珀色眼睛，“不过，你说得没错。如果我的队员扑倒你的队员，你们投降。这只是夜间训练，不是打仗。”

双方没有更多问题之后，蕨毛一摆尾巴，示意自己的队员开始行动。栗尾眯起眼睛看着他们离开，狮焰猜她是在想他们会走哪条路。然后，她抽抽耳朵，将自己的队员召集起来，率先走进树林。

树林里的灌木更密集，很难做到无声地行动，更难看到其他猫。那弯抓痕一样的新月和微弱的星光，几乎没有任何照明的作用。狮焰试图从一个长满凤尾蕨的山坡上往下爬时，一头撞到了栗尾屁股上，才意识到她已经停下脚步。

“对不起！”

栗尾向他点了下头，然后扭动尾巴，招呼其他队员。“有什么建议吗？”她低声问，“藤池？”

藤池的眼睛在微弱的光亮中闪着光。“我们应该一直走在阴影中。”她说，“而且不要碰到灌木。我们应该想想捕猎时是怎样找到猎物的。”

栗尾赞许地点点头：“很好。”

藤池说话时，狮焰感到心里有些不安。在黑森林里接受的训练，已经让藤池很擅长在夜里潜行了。

“我们为何坐在这里？”莓鼻问，“其他猫可能现在都到两脚兽

巢穴了。”

“我不这样想。”栗尾说，“我知道蕨毛怎样打算的。他们会绕一大圈，从另一边接近巢穴，这样我们就无法追踪到他们。”她的眼睛在闪光，“至少，他是这样希望的。我们走！”

猫群向坡下走去，穿过一片榛树丛。狮焰看到，藤池步伐坚定，像一道影子在灌木中蜿蜒前行，好像本能地知道什么时候该低头躲避树枝，什么时候该从这团黑影滑动到那片黑影中，而且几乎不会被发现。他心里既欣慰又担心。黑森林的作战技巧正在成为雷族的技巧吗？这是虎星希望发生的事吗？

藤池下次去黑森林时，会因为泄露秘密而遇到麻烦吗？狮焰叹息一声。至少，她现在在这里，而不是在梦中和我们的敌猫一起训练。

“嗨！鼠脑子！你睡着了吗？”

莓鼻愤怒的嘶喊声把狮焰吓了一跳。他看到那只奶油色公猫正在前头几步远的地方，回头怒视着他。

“我来了。”他小声说道，急忙追上去。

他们走到那条旧雷鬼路边上时，栗尾再次停下脚步。两脚兽巢穴就在路那边，再走几只狐狸身长那么远就到了，但从这里仍然看不到。“我们将赢得这次胜利。毫无疑问。”栗尾的声音很小，刚刚能听见，“莓鼻，你跟我来。我们去占领巢穴。”年轻公猫挺起胸。“狮焰，你和藤池负责抓住蕨毛的一只猫。如果我没猜错，他们在那里。”母猫用尾巴指着雷鬼路那边。

狮焰点点头，表示明白。藤池已经不耐烦地抖动着身体，想跑开了。栗尾抽抽耳朵，示意他们行动。然后，她一摆脑袋，示意莓鼻

跟上。他们顺着雷鬼路往前走，一直靠着路边，隐藏在凤尾蕨的阴影中。没过多久，狮焰就看不到他们了。他嗅嗅空气，但没闻到对方的任何气味。好，这意味着他们也看不到我们。他用耳朵示意藤池，然后伏低身子，腹毛擦着地面，悄悄从雷鬼路上裸露的石头上走过去。

他钻进雷鬼路那边浓密的灌木丛，向两脚兽巢穴后面走去。在灌木中穿行时，他再次感觉自己个头太大，动作笨拙，非常羡慕藤池的灵巧和优雅。尽管灌木下漆黑一片，她的步伐却坚定敏捷。

狮焰又嗅嗅空气。这次，他明显闻出了猫的气味。栗尾猜得没错！蕨毛果然会从那里接近巢穴！他向藤池扭扭耳朵，向稍微偏离气味的方向走去。藤池在阴影中的动作比他更快，转眼便走到前头去了。然后，她竖起尾巴，示意他停下脚步。现在，气味更浓了。狮焰竖起耳朵，捕捉任何动静。起初，他什么也没听到。然后，他听到一声微弱的吱嘎声，好像有猫踩到了干树叶上。

藤池也听见了，她用尾巴示意狮焰绕到另一边去，这样，他们便能从两边同时向蕨毛的队伍发起进攻。狮焰悄悄移动到新位置上，在一丛黑莓边的冬青灌木下等着。尽管他还看不见蕨毛的队伍，但他很清楚他们在那里。他不明白藤池为何还在示意他等候。

他不耐烦地抽动着尾巴，她在玩什么把戏啊？

随着轻微的沙沙声，另一队的第一只猫——刺掌——从一簇凤尾蕨中出现了，他正向黑莓丛走来。狮焰这才第一次注意到，有一条狭窄的小路从黑莓丛里穿过，通向两脚兽巢穴。刺掌顺着小路往前走，桦落和黄蜂条跟在他后面，蕨毛走在最后。他不时回头张

望,仿佛在看栗尾的队伍是否跟上来了。

不,我们没有,鼠脑子!狮焰开心地想。我们早就到了!

现在,他明白藤池的战术了。他向她那边看过去,她正蹲伏在岩石的阴影中。狮焰看到她已作好突袭准备,也鼓起自己的肌肉,准备跳出去。

前面三只猫已经走进黑莓丛。由于小路狭窄,他们只好排成单列纵队。蕨毛在黑莓边停下脚步,最后一次环顾四周。然后,他又张开嘴嗅闻空气,突然怀疑地眯起眼睛。

出击!

狮焰和藤池同时跳起来,落在蕨毛身上,将他按倒在地。姜黄色公猫惊得尖叫起来。

"抓到了!"狮焰宣布说,"你现在已经是我们的囚猫了,对吗?"

"对。"蕨毛沮丧地承认说,因为藤池的脚掌正踩在他胸脯上。

黑莓丛里传来吼叫声。狮焰听到刺掌狂怒地喊道:"看在星族的分上,转回去。回去!"

"不行!"这是黄蜂条的声音,"空间不够!"

"该死的!我被卡住了!"桦落怒吼道,"我们只能往前走。"

狮焰心里乐开了花。他摇摇尾巴,示意藤池让蕨毛站起来。"我们暂时不用担心他们了。"他说,"我们去巢穴吧。"

现在,他们可以飞快地从森林里冲过去,根本不用担心会被看见或者听到。狮焰率先从灌木中跳出来,和藤池一起冲过两脚兽巢穴后面那片松树林,钻进石头墙上的一个缺口。

"出去!"狮焰刚刚钻进缺口,莓鼻就向他扑来。但他及时停下

了。“噢,是你啊。”藤池和蕨毛跟着钻进缺口。栗尾正沿着墙边转圈,试图同时监视所有通道。她停下脚步,惊讶地竖起尾巴。

“太好了!你们抓到一只了!”她走到蕨毛面前,和他碰碰鼻子,“欢迎到我们巢穴。”

蕨毛咕噜笑着用口鼻蹭蹭她的肩膀。“干得漂亮!”

没过多久,蕨毛队的其他猫气喘吁吁地跑过来,依次钻进缺口。他们身上都掉了些毛,桦落鼻子上还有一道划伤,黑莓藤帮了获胜方大忙!

“好吧,你们打败我们了。”刺掌颓然侧躺下来,“你们的行动够机智。”

“我们应该先讨论一下学过的战术。”蕨毛说着在伴侣身边坐下,“如果再来一次,我们会采取什么不同方法呢?”

“不钻黑莓丛。”桦落深有感触地说,并舔舔一只脚掌,用脚掌捂住鼻子。

“分头行动是不错的主意。”黄蜂条说,“我们怎么就没想到呢?”

“是的,这是个绝妙的主意。”蕨毛表示赞同。他又赞许地向狮焰点点头:“你和藤池分散我们的注意力,栗尾和莓鼻占领巢穴。”

“这和我无关。”狮焰纠正他说,“是栗尾想到分头行动的。在那些黑莓边伏击你们是藤池的主意。”

其他猫都对他们刮目相看,栗尾和藤池满意地咕噜笑着。

蕨毛把皮毛上的一簇凤尾蕨拿掉,继续说:“我们也可以从错误中吸取教训。我应该让两只猫在黑莓丛中那条狭窄小路尽头保持警戒的。”

“或者另找一条路。”刺掌补充说，“在那样狭窄的小路上，我们太受限制。狮焰和藤池发起进攻时，我们没法及时回来帮助你。”

“其实我们做得也不好。”栗尾说，“我忘记有多少条路可以进入这个巢穴了。莓鼻和我来到这里后，为了同时把守所有入口，几乎跑断腿。如果你们队先到，我们的麻烦就大了。”她向蕨毛补充说。

蕨毛用尾巴拍拍她的耳朵：“这么说，我们都学到了东西。我们早上汇报时，火星会很高兴的。”说罢，他一摆尾巴，示意其他猫跟上，然后站起来，走出巢穴。栗尾走在他旁边。

狮焰发现自己走在队伍后面，和藤池走在一排。“干得好！”他说着用尾巴拍拍她的肩膀。

藤池尴尬地舔舔胸毛：“谢谢！”

“你……你这些技巧大部分是在黑森林里学到的，对吗？”狮焰试探地问。

藤池猛地抬起头，眼里闪出自卫的神情。“是的。但是，我永远不会把它们用在族猫身上。”

“当然不会。”狮焰安慰她说，“我的意思是说你学得很快，没别的意思。”

“我……其实，以雷族武士的身份利用黑森林学的技巧，我感觉很不舒服。”藤池承认道。她从一根倒下的树枝上跳过，继续说：“仿佛在违背从雷族接受过的训练。”

狮焰眨眨眼睛，回忆起自己接受虎星训练的那些夜晚，想到自己仍然在利用从那名血腥的黑森林武士那里学到的动作和技能。“任何形式的训练都是好的。”他大声说，“战斗就是战斗，胜利才是

一切。”

藤池点点头。不过，她心里仍然不踏实。狮焰又想想她刚才说过的话，突然纳闷起来，不知道是否有其他猫正在接受隐秘训练。“你在黑森林看到过其他雷族猫吗？”他问，尽量让声音听上去很自然。

他感觉到身边的藤池愣了一下。过了一会儿，她才回答说：“我们在不同地方训练。我看到过一只风族猫，就是受伤的那只，蚁毛。但大多数时候，我都和其他黑森林猫一起训练。我想，他们是故意把我们分开的。”

狮焰明显感觉到，藤池不想谈论黑森林。看到石头山谷就在前面不远处，他向藤池点点头，一摆尾巴，示意她先跑回去。他放慢脚步跟在她后面，继续思索她说过的话。突然，他停下脚步，一股寒意掠过他全身。

她没回答我的问题！她根本没说她在无星之地是否看到过其他雷族猫。

寒意更浓了。

在我的族猫中，还有谁正在接受那些想毁灭所有族群猫的训练？

第二十一章

鸽翅的耳朵被雪堵住了，很痛。雪还落进了她的眼睛里，冻僵了她的脚掌。她感觉脚掌火烧火燎地疼。“我恨雪。”她嘟哝道，“如果能回森林，我可以什么都不要。”

“我也是。”狐步附和道。

鸽翅注意到，部落猫在风景如画的雪地里行动起来容易得多了。他们好像本能地知道哪里有岩石可以跳上去，即使岩石被一层薄薄的白雪覆盖着。鸽翅只顾欣赏鱼跃斑轻盈优雅的步态了，忘记看自己脚下，结果一脚踩空，掉进了雪堆里。

“不！救命！”她喊道，并胡乱踢蹬着脚掌，仿佛试图从粉末般的白色雪花中游过去。

鹰崖疾步冲回她身边，探过身，用牙齿紧紧咬住她的后颈背。好像我是幼崽一样！鸽翅愤怒地想，竭力寻找可以踩脚的地方。护穴猫奋力将她拖出雪堆，然后放在一块坚实的岩石上。

“谢谢！”她喘息着说。

鹰崖幽默地眨眨眼，笑着说：“随时乐意为你效劳，尽管开口。”

“我们还要走多远呀？”狐步问。他抽动几下耳朵，将上面的雪

抖落下来。

“你看到那边那棵松树了吗？”栗鹰爪用尾巴指着，“就是被闪电击中过的那棵，那是下一个边界标志。”

“到那里之后，我们就完成一半边界巡逻了。”鹰崖补充说，“然后，我们就往回走。不过，我们要一直寻找猎物。”

鸽翅望着那棵枯死的松树，叹息一声。那棵树在山谷对面的半山坡上，看上去，他们还有很长很长的路要走。

“猎物！”狐步在她耳边悄悄说，“只有松树骷髅会住在那棵黑黑的树里。”

鸽翅尽管浑身不舒服，还是忍不住笑了。“至少我们可以嚼骨头！”

巡逻队跟在鹰崖身后，艰难地走进山谷，走过结冰的小溪，爬上对面的山坡。就在他们要走到那棵枯树前时，鸽翅听到一声惊恐的号叫，紧接着是猫痛苦的尖叫声。她听到翅膀狂怒地拍打着，脚掌在石头上踩得咚咚响，鸽翅顿时僵住了。显然，同伴们什么也没听到。但那些声音在继续，而且越来越大，越来越痛苦。她转过身，凝视着山谷那边。

是部落猫遭殃了吗？

她看到，对面山坡上很高的地方，有一群猫正在雪地里鏖战。一只巨大的金棕色大鸟悬停在他们上方，用利爪猛击他们。

“看！”鸽翅喊道。

鱼跃斑眯起眼睛望过去。“看上去，入侵猫遭遇老鹰了。”她的声音冷酷无情，“活该，他们在我们领地上。”

“我们不去帮忙吗？”鸽翅问。

鱼跃斑耸耸肩：“他们必须学会保护自己，就像我们的祖先一样。”

“但我们不能看着他们被杀死呀！”狐步抗议说。

“老鹰不会把他们都杀死的。”鹰崖平静地说，“它可能会带走一只猫，就这么简单。”

狐步眼里闪动着好战的光芝。他说：“族群猫遭遇共同的敌人时，我们会团结起来，保护自己。我们必须帮助那些猫！”

栗鹰爪看上去仍然在犹豫，但鱼跃斑迟疑地点了点头：“你知道他说得对，我们不能只站在这里旁观。如果我们去帮忙，他们可能会觉得欠我们的情，把捕到的猎物给我们。”

鹰崖犹豫了一会儿，然后点点头，向山谷那边走去，还一摆尾巴，示意其他猫跟上。他们走近时，鸽翅的耳朵几乎被猫儿们惊恐痛苦的尖叫声震聋过去。老鹰不会放弃的！

他们翻过一个不高的山顶，爬上对面的斜坡，向战场走去。四只猫正在与一只巨大的老鹰搏斗。老鹰的爪子插在一只棕白色母猫的皮毛中，母猫的脚掌无力地摆动着。另外三只猫纷纷跳起来抓扯老鹰的翅膀。

“那是弗洛拉！”鱼跃斑惊呼道。

“鱼跃斑，你和栗鹰爪去抓那边的翅膀。”鹰崖命令道，“我抓这边的。等我发信号。”

“我们能做什么吗？”鸽翅喊道。

“你们躲到一边去。”鹰崖回答。栗鹰爪和鱼跃斑已经冲到老鹰

的另一边。“你们没接受过这种战斗训练。”

鸽翅和狐步挤在一起，躲到一个大圆石下，看着老鹰大战入侵猫。有一只玳瑁色入侵猫很年轻，比学徒大不了多少。她被老鹰拽过去，摔在一块岩石上。她躺在那里，晕了过去，鲜血从她一只耳朵里流出来。

“进攻！”鹰崖吼道。

他跳起来，向老鹰的一只翅膀扑去的同时，栗鹰爪和鱼跃斑跳向另一只翅膀。他们合力将大鸟往下拖，老鹰狂怒地大叫一声。鸽翅想象老鹰一定用爪子将弗洛拉抓得更紧了。看到老鹰那双愤怒的黄眼睛时，她吓得颤抖起来。这就是猎物的感觉吗？

另外还有两只入侵猫。一只是黑色公猫，另一只是棕色公猫，瘦骨嶙峋，耳朵很大。他们重新投入到战斗中，猛抓老鹰的双腿，但他们已经身受重伤，显得虚弱无力。老鹰不仅块头巨大，而且动作凶猛，几乎就要将那只小母猫带走了，尽管有三只部落猫吊在它翅膀上。

他们只有三只猫，鸽翅想。恐惧从她脑海里喷涌而出，他们力量不够。

“我受够了。”狐步说，“我不能像块没用的皮毛一样站在这里！”

就在老鹰尖叫一声，将鹰崖从翅膀上甩落下来的紧要关头，狐步跳上前去，将爪子插进老鹰的翅膀。鹰崖掉落的同时在空中一转身，向老鹰光溜溜的腿发起进攻。他先抓一条腿，接着抓另一条。老鹰愤怒地尖叫一声，松开弗洛拉。弗洛拉落到地上，一动不动地躺在那里。栗鹰爪和鱼跃斑姿势优美地跳落在地上。

“好了，狐步！”鹰崖喊道，“你可以放开了！”

但狐步没有松开脚掌。鸽翅的心狂跳起来，因为她意识到，族猫被卡住了。老鹰挣扎着飞起来，狐步在老鹰翅膀下直晃荡。他扭动着身体，试图脱身。

其他猫还没反应过来，栗鹰爪已经怒吼一声：“不！”她重新跳起来，用一只前掌抓住老鹰的翅膀，用另一只前掌击打狐步。狐步松开爪子，砰的一声落到地上，躺在那里直喘气。

但正当栗鹰爪准备再次落到地上时，老鹰突然猛拍翅膀，伸出鹰爪，插进她的脊背，顿时鲜血飞溅。

“栗鹰爪！”鱼跃斑尖叫起来。她试图跳入空中，但老鹰已经开始升高。

“不！”栗鹰爪尖叫着，在空中奋力踢蹬脚掌，“救命！鹰崖！鱼跃斑……”

老鹰的翅膀更有力地拍打起来，将她带走了，消失在遥远的山峰那边。但鸽翅仍然能听到，栗鹰爪惊恐的叫声一直在她脑海里回荡，直到她认为自己再也无法听到别的声音。

鸽翅颤抖地用脚掌捂住耳朵。“对不起，栗鹰爪。”她低声说，“我无能为力……”

一切都静默下来。白雪覆盖的山坡上浸染着点点鲜血，散落着根根羽毛。部落猫默默站在那里，看到鸽翅痛苦地扭动着身体。入侵猫已经站起来，甚至弗洛拉也摇摇晃晃地站起来了。大家迅速交换了一下眼神，但什么也没说。

鸽翅抬起头，感觉恐惧正像冰冷的液体流入她的血管。现在，

她已经听不到栗鹰爪的尖叫声了，但这却是最可怕的声音。“她死了。”她耳语般地说。

狐步颤颤巍巍地站起来，面对部落猫。“对不起。”他说，他的声音充满痛苦，“是我的错。”

“就是你！”鱼跃斑说。她眯缝着眼睛，眼神悲痛，充满敌意。“不是叫你站到一边去吗？如果你按照鹰崖说的做，栗鹰爪现在就还活着。”

“我知道。对不起。”狐步重复道。

鸽翅走到他身边，将口鼻靠在他肩膀上。“不是你的错。”她说，“你只是想帮忙。没有你，老鹰可能已经把弗洛拉带走了。”

“带走入侵猫总比带走部落猫好！”鱼跃斑恨恨地说。

狐步没说什么，只是用悲伤的眼睛凝视着自己的脚掌。

鹰崖长叹一声：“责备狐步没有用，我们还是回洞里去吧。”

他们正要走开时，那只黑色公猫上前一步：“等等！”

鱼跃斑转过身，伸出爪子：“干什么？”

“没什么。”黑色公猫看上去既尴尬又内疚，“只是……呃……谢谢。”

鱼跃斑厌恶地哼了一声，回头看了最后一眼，大步跑开，边跑边龇牙咧嘴地喊道：“以后别想再越过边界。”

鸽翅盲目地在积雪中迈动脚步。她的脚掌已经冻僵，耳朵生疼，但她几乎没注意到，因为她的心太痛了。她现在能听到的，只有栗鹰爪被老鹰带走时恐惧的尖叫声。

我们根本不该来这里。这与预言毫无关系，与保护族群不受黑

森林侵略毫无关系。

他们走到能看到瀑布的地方时，太阳正落到一大片乌云背后。当巡逻队终于步履沉重地走进洞穴时，松鼠飞本来正在和鹰爪及驭风鸟说话，看到他们，她从地上跳起来。"出什么事了？"她急切地问。当她大步向鸽翅走过来时，眼里满是惊惧。

"我们去帮助——"鹰崖刚开口，但鱼跃斑一甩尾巴，打断他的话。

"栗鹰爪死了。"她愤怒地说，"我们救这只猫时，一只老鹰把她带走了。"她怒视着狐步，"我们本来叫他躲到一边去，他却跑出来参加战斗。"

松鼠飞惊叫一声，更多的猫向他们走过来。暴毛和溪儿走在最前头。

"太可怕了！"暴毛说。

溪儿点点头，用尾巴抚摸着鱼跃斑的肩膀。"已经很久没有猫被老鹰带走了。"

"现在却有了！"鱼跃斑愤怒地说。

"我最好去向尖石巫师报告。"鹰崖说着向洞穴后部走去。

溪儿的幼崽晨雀和岩松正惊恐地睁大眼睛望着她。"大鸟也会来抓我们吗？"晨雀问。

"不会。"溪儿低下头，依次碰碰他们的鼻子，"你们在洞里，是安全的。"

鸽翅站到狐步身边，与他皮毛相擦。"我们根本不该来这里。"她低声说，"松鸦羽不说我们为什么必须来。现在还死了一只猫。"

狐步点点头:“我想回家。”

阴影中出现一丝动静，鸽翅的注意力被吸引过去。她看到尖石巫师正大步向他们走过来，鹰崖走在他旁边。老猫在猫群面前停下脚步，他那双琥珀色的眼睛里闪着怒光。

“没有猫希望你们来这里。”他怒吼道，“现在，一只部落猫还因为你们死了。”

“你不能责怪狐步！”鸽翅走上前去，她气得连脖子上的毛都竖了起来，“他非常勇敢。”

“我没有怪狐步。”尖石巫师呵斥道，“我是怪你们大家。如果你们没到山地来，栗鹰爪就还活着。”

松鼠飞伸出尾巴，拍拍鸽翅的肩膀。“他说得对。”她说，“我们会尽快离开的。尖石巫师，我们都很难过，无法用语言表达。”

老猫正要张嘴回答，他们身后响起一阵沙沙声。鸽翅转过头，看到松鸦羽正从尖石洞里走出来。他用那双瞎眼看着她。“是我的错。”他说，“是我说我们必须来这里的。我会做我必须做的事，然后，我们离开。”

第二十二章

松鸦羽感觉到，群山的全部重量仿佛都压在了他肩膀上。但是，他打起精神，转身看着尖石巫师。“你的部落将永远忠实于尖石巫师。”他说，“作为对他们忠诚的回报，你要坚定地相信部落是能在山地生活的。如果你给他们希望，你的子孙将在这里生存下去。”

“但是——”尖石巫师张嘴说。

松鸦羽打断他的话：“你该挑选继任者了。”

但他的话没有得到回应。松鸦羽知道，急水部落的猫都在周围，他们都在等着尖石巫师回答。

老猫吃力地站起来。“太晚了。”他哀叹道，“我们的祖先已经不再守护我们，我们孤立无援。”说罢，他转过身，一瘸一拐地沿着通道走进自己的巢穴。松鸦羽猜测，部落猫们都在看着他的背影。紧接着，他们纷纷抗议起来。

“这是什么意思？”

“杀无尽部落抛弃我们了吗？”

“会发生什么事？”

“大家安静。”驭风鸟的声音压住了其他声音，“尖石巫师遇到

了很大的麻烦，但他仍然是我们的巫师。他会保护我们的。让他睡觉吧。”

抗议声渐渐消失，但松鸦羽能感觉到部落猫们仍然很不安。

“我现在就想走了。”松鸦羽听到鸽翅的脚掌在石头洞底上踩得啪啪响。

“我也是。”狐步补充说。

“我知道，我也想离开。”松鼠飞说，“但是，我们不能在夜幕降临的时候出发。我们明天就回家。松鸦羽，你没问题吧？你那时能完成需要在这里做的事吗？”

松鸦羽点点头，没理会鸽翅不耐烦的嘶鸣声。“没问题，我们明天可以离开。”

“我先去给你们找个窝吧。”松鼠飞拉着鸽翅走开，狐步跟在他们身后，“如果明天要上路，你们俩都需要好好睡一觉。”

“我不想睡觉。”鸽翅反驳道，“我会看到栗鹰爪的，我知道我会。”

松鸦羽等到他们的声音消失之后，才走回尖石洞里。他又看不见了，但他仍然记得那些尖石和投射到浅水坑里的月光。他记得半月是怎样轻轻拍水，让倒影晃动起来的。他深吸一口气，捕捉她的气息，但他闻到的只有石头和水的气味。

他在一根石柱脚下找到一个干燥的地方躺下，蜷缩起来，用尾巴包住鼻子。他感到好孤独，栗鹰爪的死让他心里既悲伤又后悔。

我知道我该如何帮助急水部落。但如果我们这次来访的代价是栗鹰爪的生命，这代价是不是太大了？

松鸦羽眨巴着睁开眼睛，看见眼前是一片黝黑的深水。星光在

水面上闪耀着。他跳起来，意识到自己已经回到那个石头山谷。他以前曾来过这里一次，是杀无尽部落的一位长老带他来的。他四周的悬崖上站满了猫，他们的皮毛上闪着星光，都默默低头凝视着松鸦羽。

松鸦羽抬起头，勇敢地迎视着他们的目光，扫视着那一排排星光熠熠的猫。他认出了两只以前和他说过话的猫，他还认出了雨水。松鸦羽第一次到急水部落时，雨水已经是长老。他还在悬崖上更远的地方，隐约看到了枭羽、石歌和升月的身影。他们都向他点点头，但没说话。

松鸦羽的心突然狂跳起来。半月在这里吗？尽管他好像刚和她在悬崖顶上分别，但他知道她已经去世很久很久。他在崖壁上寻找，但没看到那身漂亮的白色皮毛。

她已经完全陨落了吗？我来得太晚，在记忆中都不能和她在此相遇了吗？

他也没看到松鸦翅、鸽翅和狮吼。但接着他便骂自己鼠脑子，竟然会到这里寻找他们。他们当然没和杀无尽部落在一起！我们都还生活在雷族！

一只浅灰色母猫站起来，跳下悬崖边一块圆石，沿着水池边走过来，在松鸦羽面前停下脚步。“我是暴肚云。”她自我介绍说。

“我认识你，对吗？”松鸦羽回忆道，“我第一次到山地时，你是急水部落的长老。”

“是的，我是现任尖石巫师的母亲。现在，我儿子加入杀无尽部落的时候到了。”

松鸦羽打了个寒战:“但他还没选出继任者。”

“我知道。”暴肚云用她那双像小月亮一样的眼睛盯着松鸦羽,“明天任命下一任尖石巫师,这是你的职责。”松鸦羽惊愕地看着她。她继续说:“我们并非都抛弃了急水部落,有些猫仍然相信它能生存下来。”

“但——但我怎么能指定新巫师?”松鸦羽结结巴巴地说。

暴肚云探身向前,附在他耳边说:“因为第一任尖石巫师就是你指定的,你还记得吗?”她转头看着悬崖,用耳朵指着一排排星光猫们最上面的一个身影。那个身影闪着微光,几乎看不见。

“半月……”松鸦羽喊道。他睁大眼睛,想看得更清楚一些,但他离得太远,看不清她的面目。

“这些年来,我们一直对你感激不尽。”暴肚云继续说,“我们一直知道你会回来的。你现在要做的事将影响到所有的猫,过去的和未来的,来自湖区、山地,以及族群猫曾经生活过那么久的森林里的猫。”

松鸦羽把目光从半月的身影上收回来,看着暴肚云。“我不明白……”他支吾道。

“星族的末日就要到了。”暴肚云继续说,“为了与永远的黑暗作斗争,三力量必须变成四力量。”

松鸦羽退后一步,意识到他们周围那一排排星光猫已经开始淡去。山谷四周渐渐暗下来,只剩下极其微弱的几缕光。

“但我们一直就是三力量!”他喊道,“谁是第四只猫?”

暴肚云皮毛上的星光更暗了,她说话的声音也越来越小:“第

四只猫已经和你们在一起，你不用去远处寻找。”

松鸦羽惊醒过来。尖石洞黑黑的，滴水声一如既往地响着。他从地上爬起来，跑进大洞穴，跑进通往尖石巫师巢穴的那条通道。老猫的气味扑面而来。他停下脚步，大口喘着气。当尖石巫师说话时，他能听到他呼吸时发出的咕噜声。

“我现在看到他们了！”他每个字都说得很吃力，“我的祖先们！他们没有抛弃我们！非常抱歉……”

他的声音弱下去。松鸦羽等着那刺耳的呼吸声重新响起来，但四周死一般寂静。他站在那里，低下头，嘟哝道：“安息吧，尖石巫师。杀无尽部落在等着你。”

他走进大洞，闻到了翅影的气味，母猫正向他走过来。“顺利吗？”她问。

“不。”松鸦羽回答，“尖石巫师死了。”

翅影哀号一声，既悲痛又恐惧，这声音惊动了其他部落猫。他们也开始骚动起来。松鸦羽能感觉到，他们的惊愕像波浪一般在四周涌动：悲痛、失落、恐惧，他们都在担心会成为一个没有巫师的部落。

“尖石巫师死前任命继任者了吗？”翅影问。

山洞里顿时安静下来，气氛紧张。松鸦羽意识到，全部落的猫都在等着他的回答。他深吸一口气。

“是的。”他说，“他任命了。”

松鸦羽在轰鸣的瀑布声中率先走出洞穴，走到悬崖顶上。部落

猫们都跟在他身后。几只猫把尖石巫师的尸体从他的巢穴里抬出来，放在河边的石头上。

驭风鸟走上去，站在尖石巫师的尸体边："永别了，尖石巫师。愿你永远和守护我们的星星一起捕猎。"

她退回来，接下来是一阵充满期待的沉默。松鸦羽感觉到，每只部落猫的目光都落在他身上。他知道必须怎么做，但他心里在打鼓。他骗了每一只猫。尖石巫师死得太快。

我该怎样挑选新的尖石巫师？

然后，他振作起精神。杀无尽部落早就知道这一切会发生，他们相信他能作出正确的选择——第二次正确选择。他想，尖石巫师一定不能太年轻。急水部落需要的是一只经验丰富、勇敢坚强的猫。这只猫必须和部落猫一起经历过最艰苦的岁月，必须相信他们能生存下来。这只猫还必须把部落的利益放在自己利益前头，为了保护部落猫，能够不知疲倦地工作。

"鹰崖，站出来。"他说。

"我？"鹰崖惊呼道。接着，他走到松鸦羽面前，满眼惊讶和怀疑。

"从此刻起，"松鸦羽宣布说，"你将被称为尖石巫师。"他的心绞痛起来，因为他想起了上次说这些话的情景。"会有其他尖石巫师接替你，世世代代。好好选择他们，训练他们，将部落的未来托付给他们。"

"我很荣幸当选。"鹰崖庄重地说，"我将全心为急水部落服务，直到生命终止。"

驭风鸟走上去。"祝贺你，尖石巫师。"她说，"愿杀无尽部落守

护你，把他们的智慧传给你。”

说罢，她走下了悬崖。她从一块岩石跳到另一块，脚步声渐渐远去。鹰爪接着走上来，向新尖石巫师说了同样的话。松鸦羽等待着，直到每只部落猫都祝贺完毕，离开，回到洞里。

最后，只剩尖石巫师和松鸦羽站在悬崖顶上。

“我没想到会这样。”尖石巫师说，“尖石巫师——我是说上一任——什么也没说过。我毫无准备，但我不能怀疑他的选择。我会尽最大努力，不辜负他和杀无尽部落的期望。”他深吸一口气，“这上面真漂亮。”他说。松鸦羽意识到，他一定正在眺望山峰的轮廓。“但我猜，我暂时看不到它们了。无论如何，也要等到那些半大猫的训练结束之后。”

说罢，他低低地叹息一声。松鸦羽听到他的脚步声越来越远，知道他向洞里走去了。突然间，松鸦羽感觉到身边的空气中有丝微弱的动静，一股熟悉的香甜气味萦绕着他。

“半月？”他喃喃喊道。

他看不见那只白色母猫。但他知道，她就在他身边。她的口鼻正轻轻贴着他的耳朵，他仿佛感觉一道闪电从他体内掠过。

“你选得很好。”她柔声说道。

松鸦羽激动地吞咽着。“我不会忘记你的。”他发誓说。

“我也永远不会忘记你。”半月回答，“自从很多年前和你相遇，我就没忘记过你。现在，回去吧，回到你的族群中去，找到第四只猫。”

在她的香味渐渐淡去的同时，松鸦羽意识到，松鼠飞、狐步和鸽翅已经在悬崖顶上，正站在他身边。

“我们这下可以回家了吧？”松鼠飞问。

“可以了。”松鸦羽告诉她，“我们要做的事已经完成了。”

两只母猫爬下岩壁回洞之后，他才起身准备跟着下去。但正当他小心翼翼地从瀑布边往下走时，听到身后传来半月的声音。

“我会永远等着你，松鸦翅！”

艾琳·亨特答小读者问①

◆《猫武士》的作者们是怎样共同创作的呢?

先要说明现在有四位艾琳·亨特！她们分别是维多利亚·霍姆斯、凯特·卡里、基立·鲍德卓和图伊·萨瑟兰。维多利亚首先想出了这个点子,也一直在架设故事框架,创造其中的人物。凯特、基立和图伊轮流撰写整篇书稿。然后维多利亚进行编辑,保证故事整体上保持“艾琳”的口吻,与其他故事连贯统一。凯特、基立和图伊从来没有见过面。维多利亚从事编辑工作的时候,就已经认识她们了。她知道她们都是才华横溢的作者,而且都非常喜欢猫,所以她后来邀请凯特、基立和图伊帮助她写作《猫武士》系列。

◆《猫武士》的作者为什么用“艾琳·亨特”这个名字?

恐怕其中的原因太无趣了！在第一本书出版的时候,我们希望书店能把它摆在书架上另一套畅销书《红城王国》的旁边,那是由布里安·雅克写的动物奇幻小说。这样《红城王国》的读者也许就会注意到《猫武士》

系列，然后试着读一读。因此，我们就需要起一个在字母表上和雅克的J十分接近的姓，H打头的亨特满足这样的要求，而且也相当符合尖牙利爪的武士形象！我们选择艾琳当名字是因为我们喜欢它，它听起来有一种野性美，充满了神秘感，又比较大气。

◆ 你们会写更多《猫武士》的书吗？你们打算写多少本呢？

维多利亚和凯特刚刚写完猫武士四部曲的第六本《群星之战》。你们相信吗？写完这本四部曲就结束了！从一只名叫拉斯特的小猫初次进入森林到现在，故事已经延续了24本书，这本书即将为它画上一个句号。但是别担心，还会有猫武士五部曲！多多关注我们的官网，我们会不断更新讯息……2012年我们也会出版另一本外传，叫做《黄牙的秘密》，主角就是大家都喜爱的那位坏脾气巫医。

◆ 你们是怎么想出这些猫的名字的？

这项工作很困难！老实说，用的名字越来越多，起名字也越来越难了！一开始我们列了两个名单，一个是武士名的第一部分，另一个是第二部分，其中的词语都是野猫世界里的常见词(比如叶、羽、皮、条、毛、泥)。然后我们将两个部分的词进行组合,幸运的话就会得到一些新名字。你们的来信和粉丝网站也为起名提供了极大帮助。如果你在玩在线游戏,小心哦,因为我们也许会从那里偷走你的名字!

◆ 你们是怎样想出猫武士这套书的创意的?

大概在十年前，哈柏·柯林斯出版公司与我（维多利亚)联系，约请我写一套以野猫为主题的动物奇幻系列小说。但坦白说,一开始我不是非常热衷,因为我不读奇幻作品。而且,尽管我喜欢所有的动物,包括猫,但更喜欢狗。然而当我创造出这些猫的形象时,我意识到可以将一些人类的生活特点赋予它们。比如到新的学校开始学习(拉斯特加入雷族),爱上不该爱的人(灰条和银溪),以及被本应照顾你的人威胁(乌爪和虎掌)。我不再把这个系列当做“奇幻”,而是让角色顺其自然地带着我去他们想去的地方,一切都变得容易多了,故事也渐渐成形。

◆ 你们写《猫武士》的时候是从哪里获得灵感呢？

如同上面提到的那样，灵感来自我们人类自身。凯特和基立对猫的习性了解得非常透彻，她们让族群生活变得非常真实。有时构思一本新书，我会设想让书中的哪一只猫死去(坏笑)；有时我会回顾先前发生的事情，想想这些角色下一步要做什么。撰写新的一部曲的时候，我会构思出六本书长度的故事线。这只是个故事大纲，包括整部曲里会发生什么，以及我们在第六本的最后一页会让故事在什么地方结束。一旦这些都想好了，我就会为每一本单独列出提纲，构思出激动人心的情节，既能符合这本书的故事大纲，也能为整个故事添砖加瓦。这就有点像搭建一个巨形拼图，但你在开始之前完全不知道它会是什么样子！

◆《猫武士》是发生在什么背景下的故事？

首部曲发生在一个叫做新森林的地方，那里是英国南部汉普郡的乡间，离海岸很近。如果

你看过新森林的地图，你就会发现和《猫武士》书中的地图是一样的。不过我们杜撰了月亮石，因为这附近没有矿场。这个背景可以说明为什么族群猫所遇到的大多是一些英国的野生动物，比如狐狸和獾，而不是浣熊或者麋鹿。不过，在二部曲新预言中，我们创造出一个新家园，有山有湖，在现实中的新森林附近都找不到这样一个地方。外传的故事经常发生在从前的森林环境里，因为我们非常怀念那儿！

◆ 你们写一本书要用多长时间？

首先，维多利亚会花三到四个星期搭好故事框架，写下许多故事细节——比如每一个场景，每个角色的思想活动，角色之间的对话，一个事件过渡到另一个事件的具体情节。读者不知道的但正在发生的事情，我们也要做一些提示。提纲通常会写两万五千到三万字，比整本书最终定稿的一半篇幅少一些。然后，维多利亚把提纲交给凯特或基立或图伊，谁同意写就交给谁。然后她们就能根据这份详尽的提纲写出初稿。这一过程需要六到十周的时间，要写多久还取决于我们自己有多少时间。写完后我们将完整的书稿交给维多利亚修改，她会将文字风格统一成“艾琳”的，并且核对那些故事场景，让它们都符合原先的预想。随后，她就把书稿交给纽约的哈柏·柯林斯出版社的编辑。编辑通常会要求对某几个地方进行修改，这大概又会花去一两周，然后就可以定稿了！所以说，总共需要三到四个月。你们也许会惊讶万分。为了给出版社足够的时间设计封面、宣传新书，书在出版前很久就要完稿，有时会提前一年之久。而等到维多利亚终于能去各地巡回宣传新书时，她经常已经忘记里面写了什么！

星族的分裂使四大族群之间的隔阂越来越深，族群间的敌对情绪越来越浓。而黑森林的力量却逐渐增强，越来越多的猫加入到黑森林。

藤池的间谍身份使得她在黑森林中的处境日益危险。鸽翅从山地回来后一直噩梦缠身，她的特殊力量一直没有恢复。

一只居心叵测的独行猫出现在雷族营地上，族群间谣言四起，一个阴谋慢慢浮出水面。一系列离奇事件的发生，让族猫之间信任的纽带断裂，族猫之间互相猜忌、不满。一个失踪已久的武士回归族群，尘封已久的真相被揭开，族群将何去何从……

WARRIORS

猫武士

一部曲

二部曲

三部曲

四部曲

漫画

外传

惊叹！这是你一直想体验但从未实现的族群世界——自由、狂野、率性、张扬！

震撼！星族、雷族、风族、影族、河族、血族、急水部落……那些世代纠葛的爱恨情仇故事，惊心动魄、扣人心弦、百转千回，只会让你欲罢不能！

穿越！在这里，你总能找到与你的人格基因配对的那一只猫：它的勇敢就是你的勇敢，它的坚韧就是你的坚韧……

熊武士
SEEKERS

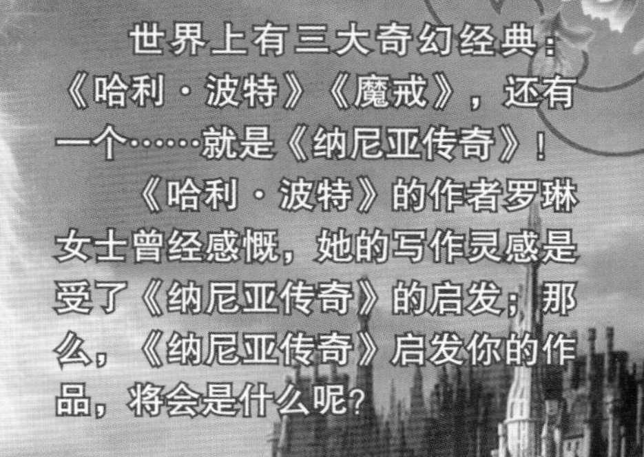

世界上有三大奇幻经典：《哈利·波特》《魔戒》，还有一个……就是《纳尼亚传奇》！

《哈利·波特》的作者罗琳女士曾经感慨，她的写作灵感是受了《纳尼亚传奇》的启发；那么，《纳尼亚传奇》启发你的作品，将会是什么呢？

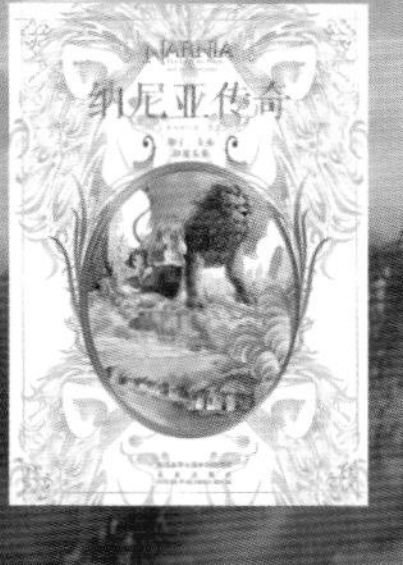

四眼田鸡小玛诺林

2013年向全国青少年推荐百种优秀图书
西班牙国家青少年文学奖

Manolito Gafotas

千篇一律、学校家庭两点一线的生活，有趣的事儿不多？一个生活在西班牙的小伙伴——人称"四眼田鸡小玛诺林"，显然不这么认为！

先拉个钩：看的时候，不准笑到肚子疼；看完后，也不许偷偷抹眼泪！

意林国际大奖小说

Yilin Guoji Dajiang Xiaoshuo

正能量哪家强，国际大奖小说个个扬！“纽伯瑞儿童文学奖”“德国青少年文学奖”“卡内基儿童文学奖”“世界优良童书”……没听过？不要紧，我们确定一定以及肯定地告诉你：它们值得向你推荐！